옆자리의 양아치 시미즈 씨가 머리를 까맣게 염색해 왔다

테이카 지음
하무 일러스트   조기 옮김

AK NOVEL

옆자리의 양아치 시미즈 씨가 머리를 까맣게 염색해 왔다 3
테이카 지음 하무 일러스트
Story Teika Art by Hamu

"야호~,
케이, 놀러 왔어."

"……뭐 하러
온 거야."

시미즈 케이

"⋯⋯네가
그렇게까지 말한다면
이 유카타를 여름 축제 때
입어 줄 수도 있어."

“저한테 뭔가
할 말은 없나요?”

“뭐,
누가 본다고 닿는 것도 아니까까 됐어.
그대로 그르드 녀석의 다리를 쳐다봤다가 흠씻 대켜 줄 거야……”

시미즈 아이

"응!"
너도 입에
물라는
뜻이겠지.

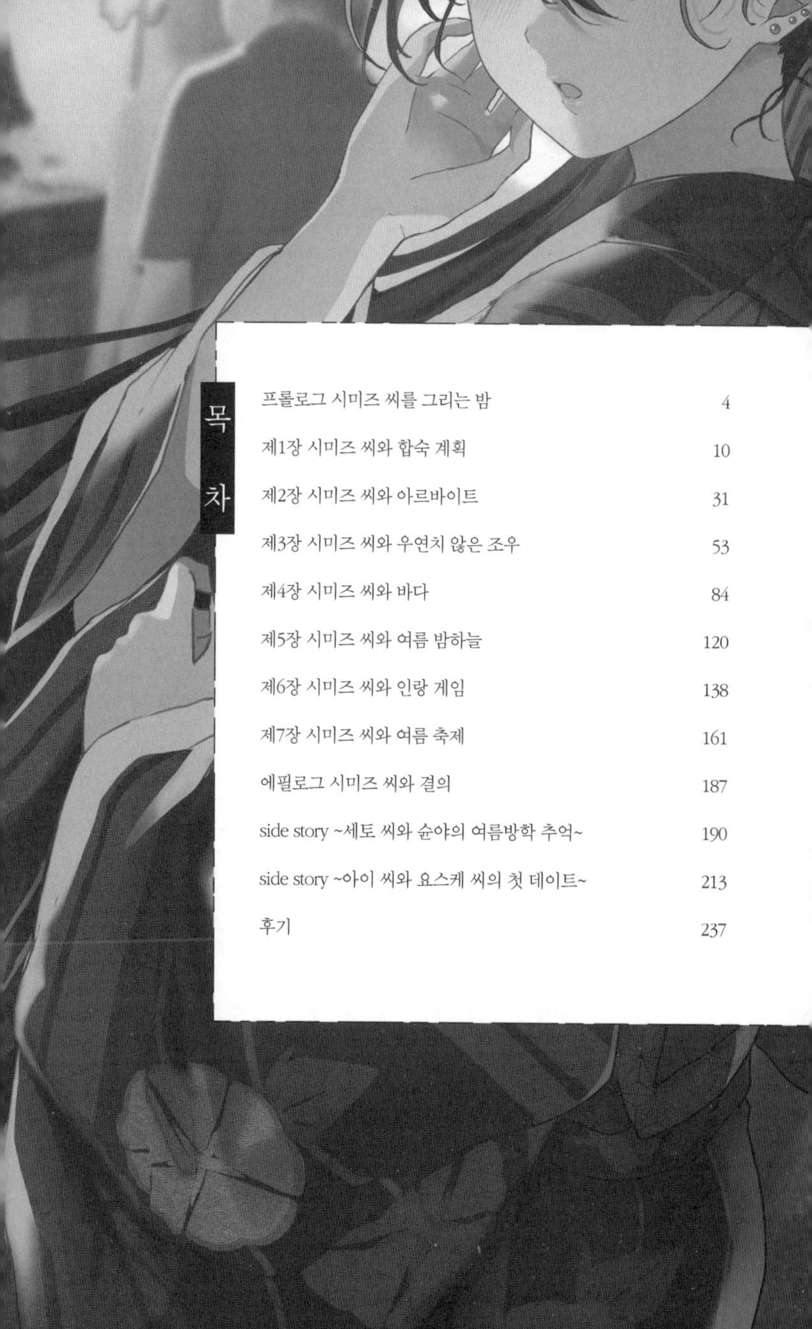

목차

"오빠, 아직 깨어 있어?"

문을 노크하는 소리와 함께 들려온 것은 여동생 키노의 목소리였다.

"깨어 있어. 어쩐 일이야?"

"방 안에 들어가서 얘기하고 싶은데 괜찮을까?"

"상관은 없지만, 꼭 오늘이어야 해?"

오늘은 천체관측을 하느라 집으로 돌아오는 시간이 늦어졌다. 게다가 집으로 돌아와서도 한바탕 소란이 일었기에 현재 시간은 벌써 11시를 지나가고 있었다.

"오늘 중으로 전하고 싶은 말이랑 묻고 싶은 게 있어……."

키노가 그렇게까지 말하니 나도 들어 주고 싶었다. 나는 키노를 방에 들이기로 했다.

"내일은 학교에 가는 날이니까 그렇게 오래 얘기를 나눌 수는 없지만, 그래도 괜찮다면 상관없어."

"고마워, 오빠."

그렇게 말하며 방으로 들어온 키노의 표정은 안도하는 것처럼 보였다.

“그래서 전하고 싶은 말이랑 묻고 싶은 게 뭔데?”

“먼저 전하고 싶은 말부터 해도 돼?”

“응.”

“오빠……, 오늘은 미안했어.”

키노는 그렇게 말하며 동시에 고개를 숙였다.

“키노…….”

“학교까지 가서 내 할 말만 하고 나갔잖아. 다들 즐기는데 방해해서 미안했어.”

고개를 숙인 키노는 시무룩한 기색이었다. 집으로 돌아와서 아버지와 어머니에게 호되게 혼이 난 것도 효과를 발휘하고 있는 듯했다.

“키노는 이미 충분히 반성했잖아. 나랑 시미즈 씨가 부실에 들어올 때까지도 천문부원들 모두에게 사과 중이었다고 유아사 선생님이 그러던걸?”

“그건…… 그렇지만…….”

“그리고 원인은 나한테도 있으니까. 키노, 미안.”

“오빠…….”

키노가 시야에서 사라지더니, 별안간 복부에 충격이 느껴졌다. 반사적으로 대미지를 받은 곳을 확인한다. 보아하니 키노가 내 배를 끌어안은 모양이었다. 하마터면 뒤로 넘어갈 뻔했다.

“고마워, 오빠.”

키노의 머리를 천천히 다독였다. 한때는 어떻게 될지 걱정했는데, 이제는 염려하지 않아도 될 것 같다. 나는 키노가 진정할 때까지 그대로 계속 머리를 쓰다듬어 주었다.

　몇 분 뒤, 키노는 내게서 살짝 몸을 떼며 처음에 있었던 위치로 돌아갔다.

　"좀 진정됐어? 키노?"

　"응……. 갑자기 허그해서 미안."

　키노는 그렇게 말하며 평소라면 하지 않았을 행동을 한 게 부끄러웠는지 뺨을 붉혔다. 방금 그건 허그라기보다 태클에 가까웠던 것 같지만. 뭐, 키노가 만족했다면 됐다.

　"괜찮아. 그래서 전하고 싶은 말은 알았는데 묻고 싶은 건 뭐야?"

　"그게 말이지…."

　키노가 내게서 시선을 피한다. 그렇게 물어보기 어려운 내용인 걸까.

　"뭐든지 물어봐. 어떤 질문이든 제대로 대답할 테니까."

　"정말?"

　"응."

　"나중에 안 된다고 두말하기 없기다?"

　"으, 응."

　뭐든지 답변할 생각이긴 했지만, 그렇게까지 말하니 조금 무서웠다. 키노는 나에게 대체 뭘 물어보고 싶은 걸까.

　"내가 묻고 싶은 건 케이 언니에 관해서야."

　"시미즈 씨에 관해서?"

이 타이밍에 시미즈 씨의 이름이 나올 줄은 예상치 못했다. 키노가 오늘 하루 만에 시미즈 씨를 아주 잘 따르게 된 건 봤는데, 뭔가 신경이 쓰이는 일이라도 생긴 걸까.

"응, 오빠는 케이 언니를 어떻게 생각해?"

"어떻게 생각하냐고……."

키노가 어떤 의도로 질문했는지는 모르겠다. 그래도 제대로 답변하겠다고 말한 이상 대충 둘러대고 싶지는 않았다.

"조금 고민해 봐도 돼?"

"응."

내가 시미즈 씨를 어떻게 생각하고 있는가……. 단순히 관계성만 놓고 보면 같은 반 친구이자 같은 동아리에 소속된 부원이라고 말할 수 있을까. 거기에 추가한다면 키노를 찾아준 은인이기도 하다. 하지만 키노가 궁금해하는 건 그런 게 아닐 거라는 생각이 들었다. 좀 더 고민하는 사이 한 문장이 뇌리에 떠올랐다.

"……내버려둘 수 없는 사람이려나."

"내버려둘 수 없는 사람?"

"전에 다른 사람한테도 말한 적이 있는데, 시미즈 씨는 다정하지만 조금 서툴러서 나도 모르게 쳐다보게 되거든."

"……무슨 뜻이야?"

설명이 부족한 모양이다. 하지만 어떻게 보충 설명을 해야 좋을지 모르겠다. 고민 끝에 나는 생각한 그대로 내용을 전달하기로 했다.

"소중한 사람이라고 할까, 내가 소중히 대하고 싶은 사람이라고 생각해.”

“그건 조······.”

“조?”

“아, 아무것도 아냐! 잊어 줘!”

“으, 응······.”

키노는 무어라 말하려 했던 것 같다. 궁금하지만 얘기하고 싶지 않은 모양이니 일단 잊어버리기로 했다.

“계속 질문해도 돼?”

“괜찮아.”

“오빠는 중학생 때 여자 사람 친구가 있었잖아? 케이 언니에게 느끼는 감정이 그 사람한테 느끼던 감정이랑 같아?”

“······다른 것 같긴 한데.”

키노의 말대로 나에게는 중학 시절 친하게 지냈던 같은 반 여자애가 있었다. 그 아이에게 품었던 감정과 시미즈 씨에게 품고 있는 감정은 이콜로는 연결하지 못할 것 같다는 느낌이 들었다.

“어떻게 다른데?”

“그게, 뭐랄까 시미즈 씨와 함께 있으면 내 기분을 알 수 없어질 때가 가끔 있어. 즐거운 건 맞는데 그뿐만이 아니라······. 잘 설명하긴 힘들지만 아마 그게 다른 점인 것 같아.”

일전에 슌야에게 상담을 한 뒤로 몇 차례 고민해 봤지만, 시미즈 씨를 향한 감정에는 아직 납득이 가는 단어를 찾지 못하고 있었다. 그래서 대답이 애매해져 버렸는데, 키노가 어떻게 생각할지 모르겠다.

"오빠는 아직도 깨닫지 못했구나….."

그렇게 혼잣말한 키노는 여태껏 별로 보지 못했던 희귀한 표정을 짓고 있었다.

"키노?"

"아, 아무것도 아냐. 난 그럼 이만 가 볼게!"

"질문은 더 안 해도 돼?"

"응, 궁금했던 건 다 물어봤으니까."

자리에서 일어난 키노는 확실히 만족스러운 미소를 짓고 있었다.

"그럼, 잘 자, 오빠."

"잘 자, 키노."

키노는 웃으며 방을 떠나갔다.

"어째서 시미즈 씨에게 느끼는 감정을 말로 잘 표현할 수 없는 걸까……."

조명을 끄고 침대에 누웠다. 어쩐지 오늘은 바로 잠들지 못할 것 같은 기분이 들었다.

"아이랑 요스케는 대체 언제 여기에 오는 거야."

시미즈 씨는 전에 없이 발끈한 표정을 짓고 있었다.

천체관측을 한 지 대략 일주일이 지난 어느 날 방과 후, 나와 시미즈 씨와 세토 씨 세 사람은 천문부 부실에 모여 달라는 아이 씨의 사전 연락을 받고 부실에 모여 있었다.

"학생회 일을 마치고 올 거라서 조금 늦어진다고 아까 연락이 왔어."

세토 씨가 시미즈 씨의 의문에 간결하게 대답했다.

"애초에 오늘 모이게 한 목적이 뭔지 모르겠어. 천체관측도 이미 끝나서 한동안은 할 일도 없잖아."

확실히 시미즈 씨의 말대로 천체관측은 무사히 끝났고, 천문부에서 진행할 대형 이벤트도 더는 없을 터였다. 아이 씨는 오늘 무슨 이유로 우리를 부른 걸까.

"아이 선배가 뭘 하려는 속셈인지는 모르겠어. 하지만 우리들을 불러 모았다는 건 또 천문부원들끼리 하고 싶은 뭔가가 있어서겠지."

"……이번엔 뭘 할 작정이지."

시미즈 씨가 한숨을 내쉬었다. 그 모습을 바라보는데 시미즈 씨와 눈이 마주쳤다.

"뭐야."

"아니, 하복도 산뜻하게 잘 어울리는 것 같아서."

"뭐!"

시미즈 씨가 눈을 크게 떴다. 의도치 않게 입 밖으로 꺼낸 말이었지만 거짓은 아니었다. 하복으로 갈아입으면서 와이셔츠 차림이 된 시미즈 씨에게 하복으로 갈아입기 전보다 시원한 인상을 받았던 건 사실이니까.

"가, 갑자기 그런 소리 하지 말라고……."

그때, 부실 문이 힘차게 열렸다.

"오오, 다들 모여 있었구나!"

그 기운찬 목소리의 주인공은 우리 고등학교 학생회 부회장인 아이 씨였다.

"미안, 학생회 일 때문에 늦어졌어."

현 학생회장 요스케 씨도 조금 늦게 부실로 들어왔다.

"이제야 왔네. 그래서 천문부에 일부러 우릴 불러 모은 이유가 뭐야."

"훗훗훗, 진정하렴, 내 친애하는 동생아."

"사람을 흥분한 것처럼 몰아가지 말라고. 얼른 용건이나 말해."

"케이는 정말 매정하다니까. 알겠어요, 그럼 갑작스럽겠지만 여러분을 불러 모은 이유를 설명해 드리죠!"

"참고로 이번에는 나도 아이가 뭘 하고 싶은 건지 전혀 못 들었어."

요스케 씨에게도 비밀로 한 거라면 이번 계획을 알고 있는 사람은 정말로 아이 씨뿐이리라. 과연 아이 씨는 뭘 할 작정인 걸까.

아이 씨는 화이트보드 앞으로 이동해 펜으로 글자를 써 내려갔다. 화이트보드에는 큼직하게 합숙이라는 글자가 적혀 있었다.

"이번에 여러분과 함께 하고 싶은 일, 그건 바로 합숙입니다!"

"합숙?"

예상치 못한 제안이었기에 생각한 내용을 그대로 입 밖으로 꺼내고 말았다.

"그래! 천문부 여름방학 합숙! 와~, 짝짝짝!"

아이 씨는 신나게 박수를 쳤지만, 나를 포함한 다른 천문부원들은 그 텐션을 아직 따라가지 못하고 있었다.

"어라, 다들 반응이 약한데? 이유가 뭐지?"

"그야 목적도 모르는데 뜬금없이 합숙을 가고 싶다는 말을 들어도 곤란하기 때문이지."

시미즈 씨가 내가 생각하고 있던 내용을 말로 표현해 주었다.

"과연, 알아들었습니다. 그럼 듣는 이도 눈물을 흘리고 말하는 이도 눈물을 흘릴 이유를 말씀해 드리죠."

"눈물을 흘릴 내용은 절대 아닐 것 같지만……. 아무튼 간결하게 설명해."

"오케이! 뭐, 이유는 단순해. 나랑 요스케가 2학기에 천문부를 은퇴하잖아? 그래서 그 전에 모두 모여서 추억을 만들고 싶어! 바다에 가서 놀고 여름 축제에 가서 노점을 구경하면서 고교 생활 마지막 여름방학을 반짝이는 추억들로 가득 채우고 싶다는 거지!"

그렇게 아이 씨가 말을 마치자 부실에는 다시금 정적이 찾아왔다. 아이 씨의 얘기를 듣고 저마다 생각에 잠긴 눈치였다.

"……나쁘지 않네."

이유를 듣고 나서 처음으로 말을 꺼낸 건 요스케 씨였다.

"요스케!"

아이 씨의 표정이 확 밝아졌다.

"문제는 많이 생기겠지만 재밌을 것 같아. 게다가 넌 한 번 말을 꺼내면 꼭 그대로 해야 직성이 풀리니까."

"헷헷헷. 요스케 씨라면 이해해 줄 거라고 믿었습죠."

"양팔을 벌리면서 슬금슬금 다가오지 마."

"이봐, 아이."

"뭐죠? 마이 시스터?"

아이 씨가 요스케 씨에게로 다가가던 것을 멈추고 시미즈 씨 쪽을 바라보았다.

"여행경비는 어떡할 건데."

"여행경비?"

"처음 듣는 말처럼 반응하지 마. 가서 노는 게 목적인 합숙인데 부모님에게 경비를 달라고 할 수는 없잖아. 합숙에 드는 비용은 어디서 짜낼 거야."

확실히 가서 노는 게 목적이라면, 부모님에게 경비를 받아내기는 어려울지도 모른다.

“그, 그건 말이죠오……."

“……설마 너, 거기까지는 생각도 안 한 거야?”

시미즈 씨가 어이없어하는 표정을 짓고 있다.

“그건 동아리 활동 합숙비로 학교에서 받아내면 어떻게든……."

“그건 일단 불가능할걸.”

“어째서~.”

“합숙의 주된 목적이 천체관측 같은 거라면 몰라도, 바다나 여름 축제를 즐기는 거면 일단 학교에서는 예산이 나오지 않을 거야. 애초에 천문부는 정식 동아리로 승격된 지 얼마 지나지도 않아서, 건실한 목적의 합숙을 한다고 해도 예산이 나올지 의심스럽다고.”

“끄으응……."

아이 씨는 매우 억울해 보이는 표정을 짓고 있었다. 아이 씨도 학생회에 소속돼 있으니 이해는 가지만 납득하고 싶지 않은 것이리라.

“그럼 나랑 요스케가 열심히 일해서 돈을 버는 걸로!”

“자연스럽게 나를 끌어들이지 말아 줄래. 그리고 지금부터 나랑 둘이 일해서 여름방학 때까지 다섯 사람 몫의 여행경비를 버는 건 현실적이지 않아.”

“윽.”

“애초에 아이랑 요스케는 학생회 일이랑 수험공부도 해야 하니까, 그렇게까지 알바 할 시간을 내긴 힘들 텐데.”

“커헉!”

정신적인 대미지가 허용치를 넘어섰는지 아이 씨는 슬로우모션 같은 동작을 하며 쓰러졌다.

"괜찮으세요?"

"아이 선배, 괜찮아?"

나와 세토 씨의 목소리가 들렸는지 아이 씨가 천천히 몸을 일으켜 세웠다.

"걱정해 줘서 고마워, 다이키, 미오짱……. 그에 비하면 케이는, 언니한테 좀 다정해질 수 없어?!"

"없어."

"단칼에~!"

"그리고 틀린 얘기를 한 것도 아니잖아. 너랑 요스케한테 시간이 없는 건 사실이니까."

"정론은 때때로 사람을 상처 입히는 무기가 되기도 한단다. 그나저나 내 퍼펙트 플랜이 이런 데서 허물어지다니……."

"그런 허술한 계획의 어디가 퍼펙트 플랜이야."

"요스케~, 케이가 나를 괴롭혀~."

아이 씨가 요스케 씨에게 힘껏 매달린다. 요스케 씨는 순간 비틀거리면서도 간신히 아이 씨를 받아냈다.

"가, 갑자기 사람들 앞에서 껴안지 말라고! 게다가 케이 말대로 경비 문제를 어떻게든 하지 않는 한 합숙 계획은 앞으로 나아갈 수 없어."

"그, 그럴 수가아……."

나쁜 아이라서 올해는 산타 할아버지가 안 올 거라는 말을 들은 어린애처럼 아이 씨는 충격을 받은 기색이었다.

"우우, 가고 싶어. 저, 다 같이 합숙을 가고 싶어요."

아이 씨가 요스케 씨의 가슴에 얼굴을 묻으며 가끔씩 이쪽을 힐끔거렸다.

"가짜 눈물로 어떻게 해 보려고 하지 마."

"눈에서는 실제로 눈물이 나오지 않을지도 모르지만 마음은 울고 있어!"

"알았으니까 슬슬 나한테서 떨어져."

"치잇……."

아이 씨가 내키지 않는 기색으로 요스케 씨를 놓아주었다.

"합숙을 가고 싶은 마음은 알겠지만, 애초에 돈이 없는데 뭘 어쩌겠어."

"큭, 각박한 현실이 내 앞을 가로막는구나."

아이 씨는 정말로 분한 눈치였다. 다시 생각해 본다. 나는 천문부 사람들과 함께 합숙을 가고 싶은가. 답은 명확했다.

"저기, 잠깐 발언해도 될까요?"

"다이키, 뭔데?"

"저도 여러분들과 함께 합숙을 가고 싶어요. 그러니까 협력하게 해 주세요."

"오오! 듣던 중 반가운 소리!"

"협력이라니 구체적으로 어떻게 할 생각인데?"

"여름방학 전까지 어디서든 알바를 해 보려고 생각 중이야."

아이 씨와 요스케 씨보다 내 쪽이 시간에 여유가 있으니 아르바이트도 하기 쉬울 터였다.

"다이키, 정말 괜찮겠어?"

"네, 저도 천문부 사람들과 더 많은 추억을 만들고 싶거든요."

"고마워, 다이키……. 좋았어, 이걸로 경비 문제도 해결……."

"아니, 아직이거든."

"뭐죠, 케이 씨. 설마 질투하시나요?"

"아냐. 한 번만 더 같은 소리를 했다간 때릴 거니까."

시미즈 씨가 주먹을 꽉 쥐었다. 아이 씨가 시미즈 씨와 살짝 거리를 벌렸다.

"그럼 대체 뭐가 문제죠?"

"혼도라고 해서 계속 알바만 하고 있을 수는 없다는 얘기야."

"확실히 혼도도 학생이니까 계속 알바만 할 수는 없겠지만……."

"그런 뜻이 아냐. 혼도는 평일에 저녁 식사를 차리고 있잖아. 그러니까 평일에는 너무 장시간의 알바는 할 수 없어."

"그러고 보니 전에 그런 얘길 했었지."

확실히 나는 부모님이 일로 바빠서 평일에는 저녁 식사를 차리고 있다. 하지만 그 사실을 시미즈 씨가 기억하고 있을 줄은 상상도 못했다.

"그리고 혼도가 알바 때문에 계속 귀가가 늦어지면 키노가 혼자 외로워할 거야."

"앗……."

맹점이었다. 어째서 깨닫지 못했을까. 저녁 식사가 늦어지는 건 감수할 수 있어도, 키노를 불안하게 만드는 건 피하고 싶다.

"그러니까 혼도도 알바 할 시간은 그렇게 많이 낼 수 없을걸. 안 그래? 혼도."

"……확실히 그렇네."

"다이키……."

"아이 씨 죄송해요. 협력하겠다고 말했는데……."

"아냐, 다이키가 사과할 필요 없어. 도와주려고 한 그 마음만으로도 기쁘니까. 그나저나 케이는 다이키에 관해 모르는 게 없네."

아이 씨가 시미즈 씨를 바라보며 씩 웃었다.

"그거야 혼도의 얘기를 들으면 알 수 있어!"

"그런가? 적어도 나는 알아차리지 못했는데 말이야. 다이키는 어떻게 생각해?"

"네? 시미즈 씨가 저와 키노의 상황을 잘 헤아려 줘서, 역시 다정하다고 생각했어요."

"뭐!"

시미즈 씨가 얼굴이 순식간에 붉은 기를 더해갔다.

"다이키에게 다정하다는 말을 들은 케이 씨, 소감 한 말씀 하신다면?"

"다정하게 대한 적 없어! 또 키노가 폭주하면 귀찮아진다고 생각했을 뿐이야!"

"솔직하지 못하네요~."

"시, 시끄러워! 그래서 결국 경비는 어떻게 할 작정인데."

"노골적으로 화제를 돌리려고 하는 모습, 매우 큐트하구나."

"그래도 케이 말대로 경비를 어떻게든 해결해야 한다는 건 사실이야."

"그건…… 그렇긴 한데요."

부실이 정적에 휩싸인다.

"나도 협력할게."

"미오짱?"

정적을 깬 것은 세토 씨였다.

"나도 선배들과 여름방학에 추억을 만들고 싶어. 그러니까 나도 열심히 아르바이트를 할게."

"미오짱!"

"나도 아르바이트를 하면 경비 문제도 아마 해결되겠지."

"너도 도서 위원 당번 일을 해야 하잖아?"

"그건 그렇긴 하지만. 방과 후 도서 당번이 돌아오는 건 많아 봤자 주에 1번이니까, 아르바이트할 시간은 충분히 확보할 수 있을 거라고 생각해."

"으으음……."

시미즈 씨는 어째서인지 분한 듯했다. 재차 생각에 잠긴다. 나도 뭔가 할 수 있는 일이 없을까.

"저도 평일은 힘들겠지만 휴일이라면 아르바이트를 할 수 있을 거라고 생각해요."

“그건 고맙지만, 정말로 괜찮겠어, 다이키?”

“네, 휴일이라면 부모님도 집에 계시니까요. 키노가 외로움을 느끼면 안 되니까 아르바이트를 너무 많이 하지는 않겠지만요.”

“넷이서 여름방학 전까지 아르바이트를 하면 경비도 모이겠지! 후배들 덕에 희망이 보이기 시작했어!”

저절로 모두의 시선이 시미즈 씨에게 집중되었다.

“나, 나는 알바도 안 할 거고, 합숙도 안 갈 거니까!”

“괜히 센 척하긴. 괜찮아, 나도 너희들이랑 합숙을 가고 싶다고 말해도.”

“말하긴 누가!”

시미즈 씨의 목소리가 부실 안에 울려 퍼졌다.

“끄웅, 이렇게 되면 비장의 방법을 쓰는 수밖에 없지.”

아이 씨가 어째서인지 내게로 다가왔다.

“다이키, 귀 좀 빌려줘.”

“아, 네.”

시키는 대로 아이 씨에게 귀를 가까이 댔다.

“케이 옆으로 가서, 같이 합숙을 가자고 케이한테 말해 줘.”

“네? 알았어요…….”

왜 시미즈 씨 옆으로 이동할 필요가 있는지 의아했지만, 자리에서 일어나 지시대로 움직였다. 아이 씨도 이유는 알 수 없지만 내 뒤를 따라왔다.

“보아하니 다이키가 케이한테 하고 싶은 말이 있는 모양이네요.

그럼 시작하시죠!"

그 목소리와 함께 등에 충격이 지나갔다. 아무래도 아이 씨가 물리적으로 내 등을 힘차게 떠민 모양이다. 반사적으로 양손을 앞으로 내밀어 뭔가를 잡은 덕에 간신히 쓰러지지 않을 수 있었다.

"호, 혼도……."

목소리가 난 쪽으로 시선을 보냈다. 생각했던 것보다 훨씬 가까운 거리에 시미즈 씨의 얼굴이 있어서 흠칫했다. 내 양손이 붙잡고 있었던 건 시미즈 씨의 어깨였다.

"미, 미안, 시미즈 씨."

"다이키! 지금이 기회야! 그대로 밀어붙여!"

뭐가 뭔지 잘 이해가 되지 않았지만, 조금 전 아이 씨에게 들었던 내용을 그대로 시미즈 씨에게 전달할 필요가 있을 듯했다.

"시미즈 씨!"

"뭐, 뭐야."

"합숙, 같이 가자. 틀림없이 즐거울 거라고 생각해."

"안 속아! 아이가 그렇게 말하라고 시켰잖아!"

시미즈 씨의 시선이 내 뒤에 있는 아이 씨 쪽으로 향했다.

"무슨 소린지 전혀 짐작도 가지 않네요."

"어이, 눈이 딴 데를 보고 있거든."

아이 씨가 동요하고 있다는 건 누가 어떻게 봐도 자명했다. 이대로 있을 수는 없었다. 오해는 얼른 풀어야 한다. 나는 시미즈 씨의 어깨에서 양손을 떼고 시선을 돌려 똑바로 시미즈 씨를 바라보았다.

"시미즈 씨, 들어 줘."

"뭐를."

시미즈 씨는 아까보다 나를 경계하고 있는 것처럼 보였다.

"확실히 시미즈 씨랑 같이 합숙을 가고 싶다고 말하라고 아이 씨한테 부탁받은 건 사실이야."

"……역시 맞았잖아."

그렇게 중얼거린 시미즈 씨의 표정은 내 눈에는 어딘가 쓸쓸해 보였다.

"들어 줘, 시미즈 씨. 믿어 줄지 모르겠지만, 나는 정말 시미즈 씨랑 같이 합숙을 가고 싶어."

다시 한 번 시미즈 씨의 눈을 똑바로 쳐다본다.

"어, 어째서 나랑 같이 가고 싶은 건데! 딱히 내가 없어도 합숙은 갈 수 있잖아!"

"합숙이야 갈 수 있겠지만, 시미즈 씨가 없으면 나는 아쉬울 거야. 합숙에 시미즈 씨가 있는 편이 몇 배는 즐거울 거라고 생각해."

"너……."

기분 탓일 수도 있겠지만 시미즈 씨의 얼굴에 아까보다 조금 붉은 기가 늘어난 것처럼 보였다.

"역시 다이키, 말 잘했어! 다 같이 갈 거니까 합숙은 즐거울 거라고 나도 생각해. 케이도 합숙을 갈 마음이 들었지?"

"난 아직 그럴 마음이 없어!"

"시미즈 씨……."

"그만해, 혼도. 그런 눈으로 나를 보지 마!"

"좋아, 효과가 나타나고 있어, 다이키! 그 동그란 눈망울로 케이의 멘탈을 야금야금 갉아내는 거야!"

시미즈 씨와 아이 씨 눈에는 지금 내가 어떻게 보이는 걸까.

"다수에는 이길 수 없어. 그러니까 포기하고 같이 합숙을 가자."

세토 씨도 시미즈 씨와 함께 합숙을 가고 싶은 모양이다.

"자, 케이, 다 같이 합숙을 가자, 응? 분명 즐거운 일이 잔뜩 기다리고 있을걸?"

시미즈 씨와 다시 시선이 마주쳤다. 나는 천천히 고개를 끄덕였다.

"……그, 그렇게까지 말한다면 하는 수 없지. 따라가 줄게."

시미즈 씨는 그렇게 말하며 아이 씨를 외면했다.

그 모습을 본 아이 씨는 앉아 있는 시미즈 씨를 향해 힘껏 허그를 했다.

"됐다~! 이걸로 다 같이 합숙을 갈 수 있어!"

"시끄러워! 알았으니까 떨어져! 숨 막힌다고!"

시미즈 씨가 힘으로 아이 씨를 떼어냈다.

"케이는 정말 부끄럼쟁이라니까. 아무튼 이걸로 문제도 해결됐으니까, 남은 건 아르바이트로 경비를 모아서 합숙을 가는 것뿐이야!"

"아니, 문제는 아직 남아 있어."

"무슨 소리를 하는 거죠, 요스케 씨. 부원 모두의 합의도 받았고, 경비 문제도 해결을 향해 가고 있잖아요!"

"그건 합숙을 가려면 발생하는 문제들 중 극히 일부잖아. 예를 들어 아르바이트할 곳을 찾는다든가, 고등학생들만으로 갈 거니까 전원 부모님에게 합숙에 대해 설명해서 허락을 받는다든가. 그 밖에도 숙소를 정하고, 이동에 쓸 대중교통 기관을 확정하는 등 할 일이 많다고."

"아하하하하……."

아이 씨의 얼굴에서 다시 미소가 사라졌다.

"일단 그중에서도 제일 급하게 정해야 하는 건 아르바이트겠네. 경비를 얼마나 확보 가능한지 모르면 정할 수 없는 일들이 너무 많아."

"그러게요……."

"그거라면 맡겨 줘!"

어느새 부활한 아이 씨가 가슴을 두드렸다.

"어떻게 할 셈인데?"

"내 교우관계를 풀로 활용해서, 각자에게 맞는 아르바이트를 소개해 줄게!"

"과연. 그런 방법이 있었구나."

"그거, 그냥 아무렇게나 하는 소리는 아니겠지?"

"아냐, 그렇지 않다고. 예를 들어 미오쨩한테라면 전통 과자점 아르바이트를 소개해 줄 수 있거든?"

"전통 과자점!"

세토 씨의 표정은 평소와 다르지 않았지만, 눈이 한순간 반짝인 것 같은 기분이 들었다.

"넌 도라야키만 관련되면 뭐든 상관없는 거냐고."

"좋아하는 것 근처에서 일하면 모티베이션도 올라가. 당연한 일이지."

"그건 상관없지만 상품에 손을 대진 마라……."

"요스케라면…… 서점 아르바이트 같은 건 어때?"

"세토랑 비교해서 급 성의 없어진 기분이 들긴 하지만……. 뭐, 그래도 관심은 있어."

"그럼 결정이네! 남은 건 케이와 다이키인가……."

아이 씨가 팔짱을 끼며 생각하는 자세를 취했다.

"어이, 난 알바한다고 말 안 했어!"

"케이, 잠깐 귀 좀 빌려줘."

아이 씨는 그렇게 말하더니 재빨리 시미즈 씨 옆으로 이동해 시미즈 씨에게 무어라 귓속말했다.

"나쁘지 않다는 생각이 들지 않아?"

아이 씨가 악동 같은 미소를 짓는다.

"……뭐, 그런 거라면 해 줘도 좋겠지."

아이 씨가 시미즈 씨에게 대체 어떤 조건을 제시한 걸까. 그리고 시미즈 씨는 왜 내 쪽을 힐끔거리며 쳐다보는 걸까.

"그럼 하던 얘기로 돌아가서, 두 사람이 아르바이트할 곳은 어떻게 할까……."

"후보가 없으면 직접 찾아볼까요?"

"아니, 그런 건 아니지만 조건이 조금 까다로워서 말이지……. 앗!"

“뭐가 떠올랐는데.”

시미즈 씨는 어쩐지 벌레라도 씹은 듯한 표정이다.

“케이, 다이키, 너희들 카페에는 관심 없어?”

“카페요?”

“그래, 카호 씨…… 내 선배가 아르바이트하고 있는 카페가 있는데, 인력이 부족한 것 같더라고. 거기라면 케이와 다이키를 같이 고용해 줄지도 몰라!”

“그렇군요…….”

“어라, 혹시 맘에 안 들어?”

“아뇨, 왜 저랑 시미즈 씨가 아르바이트할 곳으로 같은 카페를 골랐는지 궁금해서요.”

“이유는 단순해, 케이가 걱정돼서. 케이는 혼자서 끌어안는 버릇이 있으니까. 아르바이트하는 곳에서 케이를 도와줄 사람이 옆에 있었으면 좋겠거든. 뭐, 카호 씨도 있으니까 괜찮을 거라고는 생각하지만 말이지.”

확실히 전에 시미즈 씨는 아무에게도 말하지 않고 혼자 선배가 기다리는 체육관 뒤편으로 가서 문제에 휘말린 전적이 있었다. 아이 씨 입장에서는 자신의 눈길이 닿지 않는 곳에서 시미즈 씨의 신변에 또 무슨 문제가 생기는 건 아닐지 염려가 될 만했다.

“걱정이 너무 심해. 알바 정도는 누가 도와주지 않아도 할 수 있어.”

“또 그렇게 센 척하지. 다이키도 케이랑 같이 아르바이트를 할 수 있으면 좋겠지?”

“아, 네.”

아이 씨의 기막힌 패스에 저도 모르게 고개를 끄덕였다.

“억지로 말하게 하지 마. 혼도도 난처해하고 있잖아.”

“갑자기 질문을 받아서 놀라긴 했지만 난처하지는 않아. 그리고 나도 첫 아르바이트니까 시미즈 씨랑 같이 일할 수 있으면 든든하고 기쁠 거야.”

“혼도, 너…….”

“이것 봐, 다이키도 케이랑 아르바이트하고 싶대!”

“……어쩔 수 없으니까 나도 그렇게 할게.”

“결정됐네!”

“채용될지 아닐지는 아직 확정되지 않았지만, 일단 모두의 아르바이트 후보지가 정해진 건 다행이네.”

“좋았어, 그럼 천문부 전원 합숙을 목표로 아르바이트 힘내자! 아자, 아자, 아자!”

“아자~.”

그렇게 천문부는 여름방학 합숙을 목표로 활동을 시작하게 되었던 것이었다.

※ ※ ※

“어이~, 케이, 열어 줘.”

천문부의 여름방학 합숙 계획이 시동을 건 날 밤, 슬슬 잠에 들려는데 문밖에서 노크 소리와 함께 아이의 목소리가 들려왔다. 무시할까도 잠시 고민했지만 그건 귀찮은 일을 내일로 미룰 뿐인 것 같아, 하는 수 없이 문을 열기로 했다.

"뭐야."

문을 열자 그곳에는 예상대로 잠옷을 입은 아이가 서 있었다.

"잠깐만 나랑 얘기하지 않을래?"

"이제 잘 생각이었는데."

"잠깐이면 돼! 10분, 아니 15분이면 끝나니까!"

"늘리지 말라고, 참 나. 10분으로 끝내."

"라저!"

절대 10분으로는 끝나지 않을 거라고 생각하며, 나는 마지못해 아이를 방 안으로 맞아들였다.

"그래서 할 얘기가 뭔데?"

"그건 말이죠……."

"뜸 들이지 말고 빨리 말해."

"다행히 다이키랑 같은 곳에서 아르바이트할 수 있을 것 같아!"

"그 얘기였냐고……."

알바를 할 마음이 없다고 말했을 때, 아이는 혼도와 같은 곳에서 일할 수 있게 해 줄 테니 알바를 하자고 나에게 귓속말을 해 왔다. 학교 밖에서 혼도를 볼 기회가 늘어난다면 나에게 거절한다는 선택지는 없었다.

"고맙다는 인사는 안 할 거야. 애초에 네가 세운 계획이 허술해서 우리까지 알바를 하는 처지가 된 거니까."

"감사 인사는 당연히 필요 없죠. 그래도 모처럼 생긴 기회니까 다이키랑 좀 더 가까워지도록 힘내!"

"웅, 알고 있어."

"그럼 다행이고! 조만간 나도 시간에 여유가 생기면, 케이가 제대로 아르바이트를 하고 있는지 보러 갈 테니까!"

"절대 오지 마!"

알바하는 곳에 아이가 나타났다간 틀림없이 문제가 생길 게 뻔했다.

"아니, 꼭 갈 거야. 케이가 알바할 카페 유니폼이 엄청 귀엽단 말이야. 카페 유니폼을 입은 케이의 모습을 이 눈에 담고 말겠어!"

"오면 당장 쫓아낼 거야!"

"유감스럽게도 알바생인 케이 씨에게는 그런 권한 따윈 없답니다. 얌전히 내 눈요깃거리가 되어 주세요!"

"크으윽……."

"합숙 전에 기대할 거리가 늘어났네! 어라, 케이 씨 그 자세는 뭐죠?"

"네가 알바하는 곳으로 오기 전에 지금 여기에 매장해 주겠어."

"헐, 폭력 반대! 노 바이올런스!"

결국 아이를 방에서 쫓아내는 데 성공한 것은 시곗바늘이 12시를 지나고 난 뒤였다.

제2장 시미즈 씨와 아르바이트

“어서 오십시오. 몇 분…… 이신가요.”

문이 열리고 손님이 들어옴과 동시에 시미즈 씨의 목소리가 가게 안에 울려 퍼졌다.

“두 명입니다.”

“두 분이시군요. 그럼 여기…… 가 아니라, 이쪽 자리에 앉으세요.”

조리장에서는 보이지 않지만, 시미즈 씨가 손님을 비어 있는 자리로 유도하고 있는 듯했다.

어느 토요일, 나와 시미즈 씨는 개인이 운영하는 카페 에이토에서 아르바이트를 하고 있었다.

면접 때는 채용될지 불안했지만, 나와 시미즈 씨는 즉시 채용되었다. 나중에 들은 얘기에 따르면 주말 낮 시간대 직원이 부족했다나. 휴일을 메인으로 일하고 싶은 우리에게는 듣던 중 반가운 소리였다.

“혼도, 오므라이스랑 샌드위치 하나씩.”

“알았어.”

카페 유니폼으로 몸을 감싼 시미즈 씨가 조리장까지 와서 주문받은 내용을 알려 줬다. 평소에도 요리를 하고 있기 때문인지 나는 주로 조리 담당을 맡고, 식칼 쓰는 모습을 본 점장에게 위험하다는 판정을 받은 시미즈 씨는 접객 담당이 되었다.

아르바이트를 시작한 지도 대략 3주가 지나 나는 조금씩 내가 맡은 일에 익숙해지기 시작했다. 휴일 낮은 주문이 많아서 바쁘긴 하지만, 이 시간대에는 점장이나 다른 직원이 도와주기에 그렇게까지 힘들다는 생각은 들지 않았다.

"시미즈 씨, 오므라이스랑 샌드위치 다 됐으니까 부탁해."

"알았어."

시미즈 씨가 완성된 요리를 가지고 조리장 밖으로 나갔다.

"오래 기다리셨습니다. 주문하신 오므라이스와 샌드위치…… 입니다."

시미즈 씨의 목소리가 조리장까지 들려왔다. 시미즈 씨는 익숙지 않은 접객에 고전하고 있는 듯했다. 평소와는 다른 말투를 써야 해서 그게 적응이 되지 않는 눈치였다.

2시간 정도가 지나 주문이 뜸해지기 시작할 무렵, 점장이 조리장에 나타났다.

"혼도, 바쁜 시간은 지났으니까 일단 휴식해."

"네, 알겠습니다."

"나중에 또 부탁해."

조리장을 나와 휴게실로 향하자 그곳에는 지친 기색이 역력한 표정을 하고 있는 시미즈 씨가 있었다.

"시미즈 씨, 괜찮아?"

"……응."

목소리에 패기가 없다. 내가 휴게실에서 우연히 모습을 볼 때마다 시미즈 씨는 별로 기운이 없어 보였다. 그렇게 될 만큼 열심히 접객을 하고 있는 거겠지. 커버할 수 있을 때는 가급적 도와주려 하고 있지만, 나는 기본적으로 조리장에 있는 시간이 많아서 별로 힘이 되지는 못했다.

"케이짱은 오늘도 열심히 일하고 있구나."

목소리가 들려온 휴게실 입구로 고개를 돌린다.

"카호 씨."

그곳에는 울프컷이 인상적인 장신의 여성, 사쿠라이 카호 씨가 서 있었다.

"……너, 오늘 근무시간까지는 아직 시간이 남았을 텐데."

"한가해서 말이야. 귀여운 후배들 얼굴도 볼 겸 조금 일찍 왔지."

"네 후배가 된 기억은 없어."

"아니지, 케이짱이랑 다이키는 천문부 부원이잖아? 그러니까 작년까지 천문 동호회 회장이었던 나한테는 둘 다 귀여운 후배야."

카호 씨는 우리들보다 2살 더 많은 선배다. 아이 씨가 전에 말했던 카페 에이토에서 아르바이트를 하고 있는 선배가 바로 카호 씨였다. 카호 씨는 올봄에 대학생이 된 뒤부터 이곳에서 아르바이트를 하게 되었다고 한다.

카호 씨는 주로 접객 담당으로, 같은 시간대에 아르바이트를 하고 있을 때는 늘 시미즈 씨를 도와주고 있었다. 또한 아이 씨의 여동생이라선지 시미즈 씨를 아주 귀여워해서, 시미즈 씨 본인은 그에 조금 불편함을 느끼는 듯했다.

"그래서 나랑 혼도한테는 무슨 용건이야."

"그렇게 경계하지 마. 귀여운 얼굴인데 아깝잖아."

"너한테 그런 말을 들어 봤자 기쁘지 않아."

"수비가 철벽같네. 아이는 귀엽다고 말하면 매번 기뻐해 줬는데."

"아이가 쉬운 사람인 것뿐이야."

"그런가? 뭐, 그건 그렇다 치고, 이 상태로는 얘기를 들어 줄 것 같지 않네."

"들을 이유가 없으니까."

"이유라. 그거라면 잠깐 기다려."

카호 씨는 그렇게 말하고는 어딘가로 가 버렸다.

나는 계속 서 있기도 민망해서, 시미즈 씨 맞은편에 있는 의자에 앉았다.

"수고 많았어, 시미즈 씨."

"……어."

"오늘 낮에도 바빴지."

"……그러게."

대화가 이어지지 않는다. 1학년 때보다 같이 있는 시간이 늘어서 개인적으로는 전보다 시미즈 씨와 친해졌다고 생각했다. 하지만 최근 들어 시미즈 씨와 둘만 남게 되면 대화를 나누려고 해도 전처럼 어색해지는 경우가 가끔 있었다. 대체 이유가 뭘까.

휴게실이 침묵에 휩싸여 있는데 다시 카호 씨가 나타났다.

"케이짱, 좋은 걸 가져왔어."

"뭐야……, 그건!"

시미즈 씨의 눈빛이 달라졌다. 카호 씨가 가져온 건 팬케이크였다. 심지어 평범한 팬케이크가 아니다. 생크림과 바닐라 아이스크림이 토핑된 특별 사양 팬케이크였다.

"점장님한테 허락을 받고 만들어왔어. 케이짱이 팬케이크를 좋아하잖아. 아이한테 들었어."

카페 에이토에서는 점장에게 허락을 받으면 직원이 쉬는 시간에 얼마든지 음식을 만들어 먹을 수 있게 되어 있다.

"먹을 걸로 날 낚을 셈이야?!"

"맞아. 이 먹음직스러운 팬케이크의 유혹을 무시할 수 있을까?"

카호 씨가 즐거운 듯이 웃으며 팬케이크를 시미즈 씨에게 내밀었다.

"너……."

"자, 얼른 안 먹으면 아이스크림이 녹아 버릴걸?"

"으으음……."

시미즈 씨의 시선이 팬케이크에 고정돼 있다.

"내 질문에 대답하겠다고 약속해 주면 이 팬케이크를 줄게. 자, 어떡할래?"

팬케이크를 좋아하는 시미즈 씨에게는 효과적인 작전이다. 시미즈 씨는 팬케이크와 10초 정도 눈싸움을 한 뒤, 크게 한숨을 내쉬었다.

"……팬케이크에 죄는 없지. 어쩔 수 없으니까 얘기를 들어 줄게."

"그럼 교섭 성립이네."

카호 씨가 시미즈 씨에게 팬케이크를 건넨다. 시미즈 씨는 작은 목소리로 잘 먹겠습니다 라고 말한 뒤 작게 자른 팬케이크를 포크로 입에 옮겼다. 그 순간, 시미즈 씨의 눈이 초롱초롱하게 반짝이는 것이 눈에 들어왔다.

"마음에 든 것 같아서 다행이네. 질문은 팬케이크를 다 먹고 나면 할 테니까 천천히 먹어."

시미즈 씨는 그때부터 팬케이크가 바닥나기 전까지 한마디도 하지 않고 묵묵히 팬케이크를 계속 입으로 옮겼다.

"그럼, 약속대로 둘 다 내 질문에 답해 줘야겠어."

팬케이크가 담겨 있던 접시를 치우고 돌아온 카호 씨는 자리에 앉기 무섭게 그렇게 말했다. 어느새 나도 답변을 해야 하는 처지가 돼 있었다.

"우리한테 뭘 물어보고 싶은 건데."

"내가 물어보고 싶은 건 아이와 요스케에 대해서야. 두 사람의 분위기는 요즘 어때?"

"아이한테 그 정도도 못 들었어?"

"물론 아이한테서도 얘기는 듣고 있어. 하지만 본인에게 듣는 것과 주변 사람에게 듣는 건 또 느낌이 다르니까."

시미즈 씨는 크게 한숨을 내쉰 뒤 입을 열었다.

“다르지 않을걸. 아이가 폭주하고 요스케가 매번 거기에 강제로 동참하는 게 다야.”

“확실히 그건 내가 동호회에 있었을 무렵과 다르지 않네.”

카호 씨가 손을 입가로 가져가며 웃음을 흘렸다.

“물어볼 의미가 있었어?”

“개인적으로는 있었으려나. 그래도 지금쯤이면 슬슬 움직일지도 모른다고 생각했는데, 아무래도 내 착각이었던 것 같아.”

“움직이다니 그게 뭐죠?”

카호 씨에게 순수한 의문을 던진다. 카호 씨는 순간적으로 어리둥절한 얼굴을 했지만 금방 다시 미소를 지었다.

“그거야 당연히…….”

“어이, 너 그 이상은…….”

“한쪽이 기다리다 지쳐서 고백을 했을 줄 알았거든.”

고백? 고백이라면 좋아하는 사람에게 자신의 마음을 전하는 그 고백 말인가.

시미즈 씨 쪽을 확인하자 카호 씨를 매섭게 노려보고 있었다.

“너, 그걸 말하면 어떡해.”

“미안, 설마 몰랐을 줄은 상상도 못 했어.”

카호 씨가 얼굴 앞에서 양 손바닥을 마주쳤다.

“거짓말쟁이. 혼도가 아까 질문했을 때 이미 눈치채고 있었잖아.”

“정말로 몰랐다니까. 믿어 줘.”

“믿을 수 있겠냐고! 진짜. 나중에 아이한테 사과해 둬.”

"알았어. 혼도, 놀라게 해서 미안해."

"아뇨, 괜찮아요."

아이 씨와 요스케 씨가 서로 좋아한다는 건 알고 있었다. 하지만 그게 소꿉친구로서의 호감인지 이성적인 호감인지는 나로서는 판단을 내릴 수 없었다. 방금 전의 반응을 봐선 시미즈 씨는 알고 있었던 모양이지만.

"……이 녀석은 둔해서 남의 연심을 알아차리지 못해."

"아무래도 그런 것 같네."

두 사람의 시선이 내게 집중되었다. 사실이라 아무 말도 할 수 없었다.

"그래서 질문은 끝이야?"

"뭐, 그래. 한 번 더 확인해 두겠는데 두 사람의 관계성에 딱히 변화는 없는 거지?"

"없어."

끈질기다고 말하고 싶은 것처럼 시미즈 씨가 미간에 주름을 모으고 있었다.

"카호 씨는 왜 아이 씨와 요스케 씨의 관계에 변화가 있었을 거라고 생각하셨어요?"

카호 씨는 순간 뭔가를 생각하는 듯한 동작을 취한 뒤, 재차 입을 열었다.

"그건 슬슬 제한 시간이 다가오고 있기 때문이야."

"제한 시간? 그게 뭐야?"

"두 사람이 함께 있을 수 있는 시간 말이야."

"무슨 뜻이야? 그 녀석들은 반이랑 동아리도 같고 학생회에도 같이 소속돼 있다고."

새삼스레 되짚어 보자, 요스케 씨와 아이 씨는 학교 안에서 계속 같이 있는 게 아닐까 싶은 생각마저 들었다.

"확실히 지금은 그렇지. 하지만 앞으로는 과연 어떨까?"

"앞으로요?"

"그래. 문화제가 끝나면 학생회는 은퇴하는 거고, 2학기 중으로 천문부도 은퇴하겠지. 앞으로는 그 두 사람이 함께 있을 시간도 점점 줄어들 거야."

"그건…… 확실히 그렇네요."

별로 의식해 보지 않았지만, 요스케 씨와 아이 씨에게는 은퇴 시기가 다가오고 있었다. 그게 두 사람이 함께 있을 시간이 사라져 간다는 뜻이기도 했다니.

"게다가 대학 입시도 있어. 단둘이 만나는 것조차 시간이 지날수록 점점 어려워지겠지. 그렇게 되면 마음을 전할 기회도 사라질 거야. 그래서 고백한다면 지금이나 늦어도 여름방학 때까지라고 생각했던 거고."

"아하……."

"뭐, 그 사실은 아이와 요스케도 알고 있겠지만."

"네?"

"그렇다면 그 녀석들은 왜 고백하지 않는 건데?"

내가 생각하고 있던 의문을 시미즈 씨가 대신 입 밖으로 꺼내 주었다.

"그건 너도 알고 있지 않아?"

"모르니까 물어보는 거잖아."

카호 씨는 잠시 생각하는 척한 뒤 다시 입을 열었다.

"아이와 요스케 둘 다 고백을 하지 않고 있는 데는 각자 이유가 있겠지만, 공통된 이유는 역시 두려워서겠지."

"요스케 씨와 아이 씨는 뭘 두려워하고 있는 건가요?"

"지금의, 아니, 그동안 쌓아온 관계가 무너지는 거야."

"그게 무슨 뜻이야?"

"어린 시절부터 오랜 시간 함께 지내온 두 사람에게 소꿉친구라는 관계는 아마도 상당히 안락할 거야. 그래서 그 관계성이 변하는 걸 둘 다 내심 두려워하고 있는 게 아닐까. 어디까지나 내 짐작이지만 말이지."

카호 씨는 짐작이라고 말했지만, 나에게는 딱히 틀리지 않은 것처럼 느껴졌다.

"과거부터 변치 않은 굳건한 관계라서 더더욱, 거기에서 새로운 관계를 만드는 건 아주 용기가 필요한 일일지도 모르지."

카호 씨의 그 말을 끝으로 휴게실이 정적에 잠겼다.

나는 요스케 씨와 아이 씨의 관계를 이해하지 못하고 있었던 것 같다. 그런 생각을 하고 있는데, 휴게실에 점장님이 나타났다.

"혼도, 슬슬 바빠지기 시작했으니까 조금 이르지만 도와줄 수 있을까?”

“알겠습니다.”

우리가 대화를 나누는 사이 다시 가게가 북적거리기 시작한 모양이다.

“그럼 난 먼저 가 있을 테니까 준비가 되면 부탁해.”

점장은 그 말을 남기고는 종종걸음으로 떠나갔다.

“전 호출을 받아서 가 볼게요. 카호 씨, 오늘은 이것저것 가르쳐 주셔서 감사했어요.”

“감사 인사를 해야 하는 건 내 쪽인걸. 내 얘기를 진지하게 들어 줘서 고마워. 즐거웠으니까 또 기회가 생기면 얘기하자.”

“네.”

휴게실을 뒤로하며 나는 다시 조리장으로 걸음을 옮겼다.

※ ※ ※

“혼도는 가 버렸네.”

“아아.”

“이걸로 둘만 남았네.”

“아아.”

“혼도가 사라지니까 아쉽네.”

“아아…… 는 무슨, 딱히 아쉽지 않거든!”

귀찮아서 대충 대답하고 있었는데 그걸 역으로 이용당하고 말았다.

"그래? 내 눈에는 아쉬워하는 것처럼 보이는데 말이야."

"아쉽지 않아! 너랑 둘만 남은 게 귀찮은 것뿐이지!"

실제로도 나는 이 장신에 울프컷의 여자, 카호를 꺼리고 있었기에 거짓말은 하지 않았다.

"뭐 뭐, 그런 식으로 말하지 마. 모처럼 여자 둘만 남았으니까 걸즈 토크라도 하면서 이야기꽃을 피우자."

"토크는 무슨!"

자리에서 일어나 문 쪽으로 걸음을 옮긴다.

"어디로 가는 거야."

"여기가 아닌 어딘가. 너랑 같이 여기에 있는 쪽이 더 피곤해."

"너무하네. 슬퍼서 눈물이 날 것 같아."

"눈물을 흘릴 수 있으면 어디 흘려 보든가."

눈물이 날 것 같다고 말한 것치고는 지금도 얼굴에 미소가 어려 있다.

"지금은 좀 눈물의 재고가 바닥난 것 같네. 자자, 진정해. 기왕 이렇게 된 거 선배로서 고민이라도 들어 줄게."

"성가신 선배 알바생을 닥치게 하려면 어떻게 하면 돼?"

"사랑 얘기라도 해 주면 만족해서 조용해질지도 모르지."

"그딴 거 없다고."

"괜찮겠어? 혼도와 좀 더 가까워지려면 어떻게 해야 좋을지 의논하고 싶지 않아?"

"뭐……!"

당연하지만 카호에게 혼도에 관해 의논한 적은 한 번도 없다. 그렇다면 정보의 출처로 짐작할 수 있는 건…….

"……아이한테 들었어?"

"들었나…… 라고 말하고 싶긴 하지만 아냐."

"그럼 누구한테 들은 거야."

"아무한테도 안 들었어. 혼도랑 같이 있을 때 케이짱의 모습을 보면 눈치 빠른 사람은 금방 알아챌 거라고 생각해."

"아무 말이나 내뱉지 말라고."

여태껏 내가 혼도에게 호의적인 감정을 품고 있음을 간파한 건 아이와 세토와 키노, 그리고 요스케 정도다. 이렇게 정리해 보니 많이 늘어난 것 같다.

"아니 아니, 아무 말이나 내뱉는 게 아니거든. 솔직히 아이보다 알기 쉬웠어."

"그야말로 거짓말이네."

"아이는 요스케를 소꿉친구로 좋아하는지 이성적으로 좋아하는지 처음엔 알기 어려웠어. 한참 뒤에야 그게 동시에 성립되고 있다는 걸 알았지만."

카호의 관찰력으로도 아이의 연심을 간파하는 건 어려웠던 모양이다.

"그에 비하면 케이짱은 확실히 말로 표현은 잘 안 하지만, 혼도를 이성적으로 좋아한다는 건 혼도와 단둘이 얘기하고 있을 때의 그 기쁜 표정만 봐도 바로 알 수 있었어."

"으으윽……."

카호는 아까부터 계속 신이 난 기색이었다. 온 힘을 다해 쏘아보며 최소한의 저항이라도 해 보려 했지만 효과가 있는 것 같지는 않았다.

"혼도는 자신을 향한 호의에는 둔감한 것 같으니까, 케이짱이 좀 더 자신의 마음을 솔직하게 전달해도 되지 않을까?"

카호의 그 말은 놀리려고 하는 얘기라기보다는 선배로서 후배인 나에게 조언을 해 주고 있는 것처럼 느껴졌다.

"……쓸데없는 참견이야."

"그럴지도 모르지. 그래도 나는 케이짱이 조금만 솔직해져도, 혼도와의 관계에 진전이 생길 거라고 보거든."

"……너는 모르겠지만 저 녀석은 아무에게나 다정해. 그저 그 다정함을 나한테도 변덕으로 나눠 주고 있는 것뿐이야. 저 녀석은 나를 별로 특별하게 생각하지 않아."

전에 혼도에게 소중하다는 말을 들은 적이 있다. 그때는 들떴지만, 지금 생각해 보면 혼도에게 소중한 것이 과연 나뿐일까 싶었다. 다른 학우들에게도 비슷한 말을 하는 게 아닐까. 지나친 생각일 수도 있겠지만, 나는 그 생각을 지금도 완전히 버리지 못하고 있었다.

그런 생각을 하는데 뺨에 뭔가가 닿는 감촉이 느껴졌다.

"무슨 짓이야!"

상황을 확인하자 아무래도 카호에게 뺨을 찔린 모양이었다.

“기운이 돌아온 것 같네. 시무룩한 케이짱도 귀엽지만 역시 케이
짱은 활기찬 모습이 나아.”

“시끄러워!”

“그렇게 화내지 마. 뺨을 찌른 건 사과할 테니까.”

“사과할 거면 처음부터 하지 말라고.”

“다음부터는 조심할게. 아무튼 케이짱은 조금 더 자신을 가져도
된다고 생각해.”

“무슨 자신?”

“자기가 혼도에게 호감을 받고 있다는 자신 말이야.”

“뭐, 갑자기 무슨 소리를 하는 거야!”

카호가 뜬금없이 무슨 소리를 하는 걸까.

“확실히 나는 이곳에서의 케이짱과 혼도밖에 몰라. 그래도 혼도
가 케이짱을 호의적으로 보고 있다는 건 충분히 전달받았지. 혼도가
아무리 다정하다고 해도 아무런 마음도 없는 사람과 얘기하면서 그
렇게 즐거운 표정을 짓지는 않을 것 같은데?”

짚이는 구석이 없는 건 아니다. 하지만 정말로 그럴까.

“기분 탓이겠지. 난 이만 먼저 간다.”

“부끄러워하는 것 봐, 정말 귀여워.”

나는 얼굴에 몰리는 열기를 더위 탓으로 돌리며 휴게실을 나왔
다.

　　　※ ※ ※

"야호~, 케이, 놀러 왔어."

"……뭐 하러 온 거야."

다음 날 오후, 오늘도 카페 에이토에서 알바를 하고 있는데 아이가 불쑥 가게를 찾아왔다.

"뭐 하러 온 거냐니, 이 유니폼을 입고 있는 케이를 보러 왔지!"

"이미 봤잖아. 돌아가."

아이의 몸을 180도 회전시켜 돌아가는 길로 쫓아낸다.

"케이~, 오늘 나는 손님이거든~."

"그래서 그게 무슨 상관이야."

"이 직원 참 강하네!"

"그만하고 들여보내 줘, 케이."

"카호 씨!"

목소리가 난 쪽을 바라보자 그곳에는 어느새 카호가 서 있었다.

"오늘은 내가 아이를 여기로 부른 거야. 어제 잘못을 사과하고 싶어서."

"전화로도 말씀하시던데 사과가 대체 뭔가요?"

"그에 관해서는 앉고 나서 얘기하지 않을래? 휴식은 아까 점장님한테 케이짱 몫까지 합쳐서 허락받고 왔으니까."

"왜 나까지."

"케이짱하고도 어제 얘기를 계속 이어가고 싶었거든. 뭐, 어쨌든 일단 앉자."

카호는 그렇게 말하며 나와 아이를 가게 안쪽에 있는 테이블 자리로 유도했다.

“잠깐만 기다리고 있어.”

카호는 나와 아이가 자리에 앉은 것을 확인하더니 조리장 쪽으로 떠나갔다.

“그래서 케이, 어때?”

“무슨 얘기를 하는 거야.”

“딴청 부리지 말고, 다이키와의 관계에 진전이 있느냐고 묻고 있어!”

옆에 앉아 있는 아이의 옆구리를 쿡 찌른다.

“어이! 혼도도 알바 중이라고!”

“그렇게 작은 소리로 말 안 해도 다이키한테는 안 들린다니까. 그래서 어떤데?”

“……진전은 없어.”

솔직히 말하자면 알바 일이 생각했던 것보다 훨씬 힘들어서 혼도와 관계를 깊게 다질 겨를이 없는 게 현실이었다.

“그렇구나. 뭐, 케이가 열심히 아르바이트하는 건 다이키도 알고 있을 거라 생각하니까, 앞으로 잘하면 될 거야!”

“그래 그래, 힘내, 케이.”

“언제 돌아온 거야.”

그곳에는 조리장으로 갔던 카호가 서 있었다. 손에는 초콜릿 파르페가 담긴 쟁반을 들고 있다.

“카호 씨, 그 파르페는?”

"사과의 뜻이라고나 할까. 물론 내가 쏘는 거야."

그렇게 말하며 카호는 아이 앞에 초콜릿 파르페와 스푼을 내려놓았다.

"아싸! 그래서 사과라는 건 결국 뭔데요?"

"어제 있었던 일인데, 혼도한테 아이가 요스케를 좋아한다고 말해 버렸어."

"뭐야, 그런 거였어요? 그 정도는 신경 안 써도 되는데."

"괜찮겠어? 멋대로 폭로했는데."

"뭐, 다이키한테라면 상관없어. 다른 사람들한테 떠벌릴 만한 애는 아니니까."

아이는 혼도를 나름대로 신뢰하고 있는 모양이다.

"그런데 어쩌다가 다이키에게 제가 요스케를 좋아한다고 말하는 전개가 된 거예요?"

"시간이 없다는 얘기를 하다가 그랬어."

그 말을 들은 아이의 표정이 살짝 흐려진 것처럼 보였다.

"……카호 씨도 알고 계셨군요."

"그렇게 말하는 걸 보니 역시 아이도 자각은 하고 있었던 모양이구나."

"위기감이 느껴지기는 해요."

아이가 초콜릿 파르페를 스푼으로 떠 입에 넣었다.

"카호 씨, 저는 어쩌면 좋을까요?"

"어려운 질문이네. 내가 말할 수 있는 건 후회가 덜 남게 하는 편이 낫다는 거려나."

"예를 들면?"

"지금보다 미래, 1년 뒤, 아니, 그보다 더 뒤려나. 그때가 돼서 그때는 이렇게 할 걸 그랬다고 생각해 봤자 늦으니까. 당장 할 수 있는 일을 열심히 해 두는 게 중요하다고 생각해."

"그렇군요……. 좋았어, 결심했어요!"

아이가 검지를 세우며 힘차게 팔을 들었다.

"갑자기 뭐야."

"저, 여름 합숙에서 요스케에게 전력으로 저를 어필할 거예요! 그래서 요스케를 반하게 만들고 말겠어요!"

아이의 그 말을 들으며 카호는 부드럽게 미소 지었다.

"아이다워서 좋네. 응원할게."

"고맙습니다! 케이도 같이 힘내자!"

"왜 나까지."

"케이도 나중에 이렇게 했으면 좋았을 거라고 후회하고 싶지는 않을 거잖아?"

인정하고 싶지는 않지만 확실히 그랬다. 나도 후회는 사양이다.

"……하는 수 없지. 그래도 딱히 협력할 마음은 없으니까."

"응! 서로 힘내자!"

"둘 다 의욕적이라서 나는 기뻐. 두 사람에게 메뉴를 아무거나 하나씩 더 쏠게."

"정말요?! 그럼 전 딸기 생크림 케이크!"

"거기서 더 먹을 거냐고."

"디저트 배는 따로 있거든! 죄송하지만 여기요!"

아이가 직원을 부르자 어째서인지 혼도가 이쪽으로 왔다.

"어라, 혼도는 요리 담당 아니었어?"

"접객 담당 둘이 쉬러 가서 지금만 접객을 담당하고 있어요."

"그랬구나! 유니폼 잘 어울려!"

"고맙습니다."

"케이의 유니폼도 잘 어울리지?"

"어이, 어수선한 틈을 타서 뭘 물어보는 거야!"

혼도가 아이의 말에 순간 놀라면서도 내 쪽을 바라본다.

"네, 흑백 유니폼이 시미즈 씨의 장점을 부각시켜서, 좋다고 생각해요."

"뭐!"

"멋지대, 다행이네!"

얼굴에 피가 몰린 것 같다. 혼도는 늘 내 마음을 휘저었다.

"그래서 주문은요?"

"딸기 생크림 케이크랑 팬케이크 하나씩."

"남이 시킬 메뉴를 멋대로 정하지 마."

"그래도 시킬 거잖아?"

"팬케이크는 어제 먹었으니까 나는 오렌지 주스면 돼."

"내 예상이 빗나갔어~. 그럼 딸기 생크림 케이크랑 오렌지 주스로 부탁할게요."

“알겠습니다.”

혼도는 그렇게 말하더니 다시 조리장 쪽으로 돌아갔다.

“아이도 케이도 합숙이 승부처네. 나중에 좋은 소식을 들을 수 있기를 기대하고 있을게.”

“맡겨만 주세요!”

“왜 너한테 말해야…… 뭐 됐어, 기다리고 있어.”

나는 혼도에게로 시선을 옮기며, 새로이 합숙을 향한 결의를 다졌던 것이었다.

"다이키, 시험은 어땠어?"

기말시험이 겨우 다 끝난 날의 방과 후, 아르바이트도 쉬는 날이라 부실로 가려는데 슌야가 말을 걸어왔다.

"나쁘지는 않았다고 생각해. 슌야는?"

"적어도 낙제점은 아니지."

슌야가 그렇게 말한다면 그런 거겠지. 슌야의 시험 순위는 언제나 위에서 세는 편이 빨랐기에 딱히 걱정은 되지 않았다.

"그래서 무슨 용건이라도 있어? 시험 애기만 물어보러 온 건 아닐 텐데?"

"예리하네. 다이키, 오늘은 분명 알바를 쉬는 날이었지?"

"응."

"나도 동아리 활동을 쉬는 날이니까. 오랜만에 사랑 애기를 하지 않을래?"

나는 아르바이트, 슌야는 동아리 활동으로 바빠서 최근엔 좀처럼 느긋하게 애기를 나눌 시간을 내지 못했다. 그러는 사이 사랑 애기를 하고 싶다는 슌야의 욕구도 옅어진 줄 알았는데, 그렇지는 않았던 모양이다.

"괜찮긴 하지만 장소를 옮기지 않을래?"

교실에는 아직 사람이 제법 남아 있었다. 이곳에서 사랑 얘기를 했다간 분명 누군가의 귀에 들어갈 것이다. 슌야와 사랑 얘기를 하면 얘기 중에 100% 세토 씨가 등장한다. 여자들에게 인기 많은 슌야가 좋아하는 사람이 누군지 밝혀지면 소란이 벌어지겠지. 그건 무슨 수를 써서라도 피하고 싶었다.

“알았어. 어디로 갈까?”

“제가 적당한 장소를 알고 있습죠.”

들어 본 적 있는 목소리가 난 쪽으로 고개를 돌리자 그곳에는 아이 씨가 서 있었다.

“아이 씨? 왜 여기에?”

“아이 씨! 안녕하세요!”

“슌야, 인사성이 바르구나! 그리고 다이키의 질문에 대답하지. 오늘은 학생회도 아르바이트도 없어서 한가한 김에 여기까지 케이를 부르러 왔어.”

“네? 하지만 오늘 시미즈 씨는…….”

시미즈 씨의 자리를 확인했지만 역시 그곳에는 이미 시미즈 씨가 없었다.

“맞아, 케이의 자리를 보고 겨우 생각이 났는데, 오늘은 케이가 아르바이트를 하는 날이었어. 그만 깜빡했지 뭐야!”

아이 씨가 콩 하고 자신의 머리를 때리며 윙크했다.

“그래서 시미즈 씨 자리 옆에서 저희가 대화 중인 걸 보고 얘기를 듣고 있었다는 거네요.”

"댓츠 라이트!"

아이 씨가 슌야를 손가락으로 척 가리켰다.

"그래서 적당한 장소가 어딘데요?"

"훗훗후, 그건 우리 부실이야!"

확실히 천문부 부실이라면 다른 사람을 신경 쓰지 않고 하교 시간까지 느긋하게 대화를 나눌 수 있으리라.

"천문부 부실에 제가 감히 들어가도 되는 건가요?"

"괜찮아! 슌야는 미오짱과 다이키의 친구니까!"

"그렇다면 전부터 관심도 있었겠다, 가 보고 싶어요!"

"말 잘했어! 그럼 가자! 따라와!"

"네!"

"아, 네."

나는 짐을 든 채 두 사람을 따라가는 모양새로 교실을 나섰다.

"그래서 오늘 사랑 얘기의 테마는 뭐야, 슌야?"

몇 분 뒤, 우리들 세 사람은 천문부 부실에 있었다. 도중에 아이 씨에게 들은 얘기에 따르면 요스케 씨와 세토 씨도 오늘은 아르바이트가 있다고 한다. 그래서 오늘은 부실에 예상치 못한 타이밍에 사람이 들이닥칠 일도 없을 듯했다.

"이번 테마는 바로 여름에 보고 싶은 좋아하는 이성의 복장입니다."

"이성의 복장?"

“응, 여름으로 다가갈수록 더워져서 다들 차림새가 달라지잖아. 게다가 여름엔 행사도 많으니까, 덕분에 색다른 복장을 볼 수 있기도 하지.”

“바다나 풀장에 갔을 때 입는 수영복이나 축제에 갔을 때 입는 유카타 말이지!”

“맞아요! 그런 수많은 여름 복장들 중에서 이성이 입고 있으면 저도 모르게 가슴이 두근거릴 복장이 뭔지 물어보고 싶다는 거죠.”

“좋은 주제야! 역시 사랑 얘기 마스터!”

“감사합니다!”

하이 파이브를 하는 슌야와 아이 씨. 두 사람은 함께할 일이 적은데도 의외로 죽이 잘 맞는 듯했다.

“그래서 갑작스럽지만 다이키는 뭐 생각나는 거 없어?”

가슴이 두근거리는 이성의 여름 복장이라……. 고민해 봐도 당장은 떠오르지 않았다.

“으음, 아직 생각이 안 나.”

“그렇구나, 참고로 나는 세토의 유카타 차림이 보고 싶어!”

슌야의 커밍아웃에 차마 말이 나오지 않았다. 세토 씨를 좋아하는 걸 들켜도 딱히 상관은 없다고 전에 말하긴 했지만, 아무런 망설임도 없이 아이 씨 앞에서 말할 줄은 생각도 하지 못했다.

아이 씨는 슌야의 말을 듣더니 씩 미소를 지었다.

“미오짱의 유카타 차림이라니 역시 슌야야, 안목이 있어.”

“세토한테는 분명 유카타가 잘 어울릴 거예요. 다이키도 그렇게 생각하지 않아?”

유카타를 입은 세토 씨를 상상해 본다. 확실히 세토 씨의 쿨한 이미지와 잘 어울리는 것 같다.

“그러게. 세토의 분위기와도 잘 어울릴 것 같아.”

“알아주는구나, 다이키! 유카타를 입은 여자애는 역시 좋다니까!”

“응. 뭐랄까 여름인데도 시원스럽고 당당한 느낌이 나서 좋지.”

“역시 다이키! 잘 아네!”

한동안 사랑 얘기를 하지 못해서 그런지 슌야는 평소보다 더 흥분한 기색이었다.

“아이 씨? 왜 그러시죠?”

“아아, 미안. 잠깐 메모하고 있었어.”

“메모요?”

“이성의 사랑 얘기는 별로 들을 기회가 없으니까. 참고하고 싶다는 생각이 들어서.”

확실히 나도 세토 씨와 사랑 얘기를 나누기 전까지는 이성과 사랑 얘기를 한 적이 별로 없었던 것 같다. 교우관계가 넓은 아이 씨에게도 이성과 사랑 얘기를 나눌 기회는 귀중한 모양이다.

“그래서 두 사람의 얘기를 듣다가 좋은 생각을 떠올렸어!”

“무슨 생각이요?”

“합숙에서 여름 축제를 갈 때 전원 유카타 차림으로 가자!”

여름방학 합숙 일정도 정해지기 시작해서, 합숙 2일째 밤에는 다 같이 여름 축제에 가기로 되어 있었다.

"천문부에 유카타 입는 법을 아는 사람이 있어요?"

처음부터 유카타를 입고 갈 것도 아니니까 최소한 한 명은 유카타 입는 법을 아는 사람이 필요했다.

"요스케는 손재주가 있으니까 잘할 수 있을 거야! 나도 합숙 전까지 배워 둘게! 다 같이 유카타를 입고 가는 게 분명 더 즐거울 거야!"

그렇게 되면 짐은 늘어나겠지만 여름 축제에 유카타를 입고 가는 건 불가능은 아닐 듯했다.

"설마 세토의 유카타 차림이 현실이 될 줄이야……. 크윽, 나도 보고 싶어!"

"그럼 내가 미오짱의 유카타 차림을 사진으로 찍어 와 줄게!"

"진짜요?!"

"진짜지 그럼. 미오짱이 평소에 신세를 지고 있으니까. 그 정도는 맡겨 둬!"

세토 씨를 빼고서 얘기가 진행되고 있는데 괜찮은 걸까. 아이 씨라면 세토 씨에게 잘 설명해 줄 것 같긴 하지만.

"정말 감사합니다!"

슌야가 아이 씨를 신처럼 우러러 받들고 있다.

"좋아 좋아, 그럼 다시 사랑 얘기를 계속하자!"

그러고 보니 사랑 얘기 도중에 옆길로 새고 있었던 것이었다.

"그러게요. 다이키는 이제 슬슬 좋아하는 이성의 여름 복장이 뭔지 생각났어?"

"아니, 여전히 생각 나는 게 없어."

"다이키는 너무 어렵게 생각하는 것 같네. 일단은 가깝게 지내는 여자애로 상상해 보면 되지 않을까?"

"그렇군요……."

가깝게 지내는 여자애라는 말을 들으니 퍼뜩 생각난 것이 시미즈 씨였다. 시미즈 씨가 입으면 기쁠 것 같은 여름 복장이라……. 시미즈 씨는 스타일이 좋아서 뭘 입어도 잘 어울릴 것 같다. 잠시 고민하고 있으려니 한 가지 후보가 떠올랐다.

"이걸 여름 복장이라고 해야 할지는 모르겠지만, 흰색 원피스가 좋을 것 같아요."

"그거라면 전에 쇼핑몰에서 다이키랑 마주쳤을 때 케이가 샀던 거?"

"맞아요."

몇 달 전 나는 쇼핑몰에서 우연히 시미즈 씨와 아이 씨를 만난 적이 있었다. 그때 본 시미즈 씨의 새하얀 원피스를 입은 모습이 아직도 기억에 선명하게 남아 있다.

"나도 기억나. 그때 케이는 평소보다 훨씬 굿이었지!"

"흰색 원피스라. 확실히 다이키가 좋아할 것 같다."

슌야가 납득한 건 전에 내가 청초한 아이를 좋아한다고 말했기 때문이리라.

"케이도 그 뒤로는 그 원피스를 입지 않았으니까. 케이가 원피스를 입은 모습을 한 번 더 보고 싶어. 다이키도 그렇지?"

시미즈 씨가 원피스를 입은 모습을 상상한다. 그 모습은 가녀리면서도 무척…….

"다이키?"

아이 씨의 목소리에 퍼뜩 정신이 들었다. 생각했던 것보다 오랜 시간이 경과한 모양이다.

"그러게요. 시미즈 씨한테 잘 어울렸으니까, 그 흰색 원피스를 입은 모습은 저도 보고 싶어요."

"그치!"

"원피스라. 세토도 혹시 입으려나."

"작년 여름에 놀러갔을 때는 확실히 미오짱도 입고 있었어."

"진짜요?! 세토라면, 원피스를 입고 있어도 귀엽겠지……."

"당연히 미오짱의 쿨함을 원피스가 돋보이게 해 줬지!"

그 뒤에도 나와 슌야와 아이 씨의 사랑 얘기는 하고 시간까지 계속되었던 것이었다.

※ ※ ※

"……빠, ……어나."

누군가의 목소리에 정신이 들었다. 그와 동시에 몸이 흔들리고 있다는 걸 깨달았다.

"……좀 더 자게 해 줘."

이불에 얼굴을 파묻는다. 내 기억에 오늘은 휴일이라 알바도 쉬는 날이었을 터다. 딱히 용건이 있는 게 아니라면 좀 더 자고 싶다.

"오빠! 일어나!"

"……키노?"

유심히 들어 보니 목소리의 주인은 키노였다. 눈을 문지르며 이불에서 얼굴을 내밀었다.

"좋은 아침, 어쩐 일이야?"

"겨우 일어났네. 오늘은 오빠한테 미션이 있어."

"미션? 나한테 뭐 시키고 싶은 거라도 있어?"

어쩐지 전에도 이런 일이 있었던 것 같은 기분이 든다.

"응, 쇼핑몰에 갈 건데 따라와 줬으면 좋겠어."

"따라와 줬으면 좋겠다는 건 키노도 가는 거야?"

외출을 싫어하는 키노가 자발적으로 사람이 많은 곳으로 외출하려고 하는 건 드문 일이었다.

"으, 응. 안 될까?"

키노는 조금 불안해하는 기색이었다. 걱정시키지 않도록 키노의 머리를 최대한 다정하게 어루만져 주었다.

"괜찮아. 같이 쇼핑몰에 갈까."

"응!"

키노의 표정이 확 밝아졌다.

"그럼, 늦지 않게 오빠도 준비를 서둘러!"

키노는 그렇게 말하고는 내 방에서 떠나갔다. 늦어? 쇼핑몰에서 뭔가 이벤트라도 열리는 걸까.

그로부터 1시간 뒤, 나와 키노는 쇼핑몰에 있었다. 여기로 오는 동안 키노에게 몇 번인가 목적을 물어봤지만, 키노는 꿋꿋하게 쇼핑이라는 것 외에는 가르쳐 주지 않았다.

"키노, 쇼핑몰에 도착했는데 뭘 하고 싶어? 슬슬 알려 줬으면 좋겠어."

"조금만 더 기다려."

키노는 그렇게 말하며 스마트폰을 만지작거렸다.

무료했던 나는 심심풀이 겸 주위를 둘러보다 익히 아는 사람을 발견했다.

"시미즈 씨?"

"호, 혼도?"

그곳에는 흰색 원피스를 입은 시미즈 씨가 서 있었다.

"오오! 이런 우연이 다 있네, 다이키와 키노짱을 이런 데서 만나다니!"

목소리가 난 쪽을 돌아보자 그곳에는 여름 느낌이 완연한 옷을 입은 아이 씨도 있었다. 보아하니 아이 씨도 같이 온 모양이다. 그런데 어째서인지 아이 씨의 말이 평소에 비해 극적으로 들렸다.

"우연은 무슨! 딱 봐도 노린 거면서!"

"무, 무슨 말인지 전혀 모르겠네요오."

아이 씨가 티 나게 동요하고 있다.

"네가 아까까지 폰을 만지작거리고 있었던 것도 혼도나 키노 중 한쪽이랑 연락하고 있었기 때문이잖아!"

그러고 보니 키노가 방금 전까지 스마트폰을 만지고 있었던 것 같은데. 키노에게 시선을 보낸다.

"키노?"

시선이 마주치자 키노는 황급히 내 눈을 피했다.

"나, 나는 아무것도 몰라."

"아무것도 모르는 녀석은 그렇게 당황하지 않아. 솔직히 말해, 키노. 화내지 않을 테니까."

"진짜로?"

"거짓말해 봤자 별 수 없잖아."

"……아이 씨가 오빠를 여기로 데려오면, 케이 언니를 만나게 해주겠다고 했어."

"어이, 아이."

시미즈 씨가 아이 씨를 사납게 노려본다.

"화내지 않겠다고 방금 말했잖아!"

"그건 키노한테 한 말이었지! 너한테는 당연히 화낼 거거든!"

"그런 부당한!"

시미즈 자매의 말다툼을 언제 말릴지 고민하는데, 키노가 내 셔츠를 잡아당겼다.

"왜 그래?"

"속여서 미안해, 오빠."

키노는 미안한 표정을 짓고 있었다. 나쁜 짓을 했다고 생각하는 모양이다.

"딱히 괜찮아. 갑자기 시미즈 씨와 아이 씨를 보게 돼서 놀라긴 했지만."

"맞아. 나쁜 건 이런 계획을 세운 아이야."

"그럴 수가아. 이 정도는 소소한 서프라이즈잖아."

"나는 이런 두근거림을 원한 적 없거든."

"그 발언은 이런 곳에서 마주치다니 혹시 운명~? 이라는 생각에 가슴이 두근거렸다고 말하는 거나 마찬가지거든요."

"그런 생각 안 했거든!"

흥분해서인지 현재 시미즈 씨의 얼굴이 평소에 비해 더 붉은 듯한 기분이 든다.

"그래? 뭐, 일단은 그런 걸로 치자. 그래서 다 함께 어디로 가면 될까?"

"멋대로 넷이서 어딘가에 가는 전개로…… 엇, 왜 그래, 키노?"

내가 눈을 뗀 틈에 키노는 시미즈 씨 옆으로 이동해 있었다.

"케이 언니는 나랑 오빠랑 같이 있는 게 싫어?"

키노가 눈동자를 위로 굴리며 시미즈 씨를 쳐다보았다.

"시, 싫지는 않지만……."

"그럼 같이 있고 싶은데. 안 돼?"

"읏……."

시미즈 씨가 눈이 부신 것을 쳐다보는 듯한 눈으로 키노를 보고 있다.

"케이 언니 부탁이야!"

"……어쩔 수 없지. 네가 또 딴 데로 가면 큰일이니까. 내 눈이 닿는 범위에 있어."

"응, 언니 너무 좋아!"

키노가 시미즈 씨에게 안긴다. 시미즈 씨는 의외로 연하에게 무른 구석이 있는 것 같다.

"좋았어, 이걸로 오케이네. 그럼 어디로 갈까? 다 같이 가고 싶은 곳 있어?"

"저는 딱히 없어요."

"저는 오빠랑 케이 언니가 옆에 있으면 어디든 괜찮아요."

키노의 진짜 목적은 시미즈 씨와 이곳에서 만나는 것이었던 듯했다.

"과연, 혼도 남매는 딱히 가고 싶은 곳은 없단 말이지. 케이는 어때?"

"나도 없어."

"엥~ 진짜? 사실은 가고 싶은 곳이 있지 않아?"

"왜 나한테 물어볼 때만 의심하는 거야!"

"카호 씨한테도 솔직해지는 편이 낫다는 말을 들었잖아. 자, 지금이 기회야!"

"으으……."

당황하는 시미즈 씨의 모습을 보고 있는데 눈이 마주쳤다.

"어이, 혼도."

"왜, 시미즈 씨?"

“……같이 가자.”

“엥?”

방금 시미즈 씨가 뭐라고 말했지? 말로는 인식했지만 너무나도 갑작스러워서 뇌가 처리하지 못하고 있다.

“그러니까 내 쇼핑에 같이 가자고 말하는 거야.”

“아, 쇼핑 말이지.”

같이 가자*는 부분만 들어서 그만 당황해 버렸다. 냉정하게 생각하면 시미즈 씨가 여기에서 나한테 뜬금없이 고백 같은 걸 할 턱이 없는데도.

“뭘 조금 안심한 얼굴을 하는 거야!”

“미안, 그래서 뭘 사고 싶은데?”

“유카타야. 여름 축제 때 유카타를 입고 갈 거잖아. 유카타 같은 건 갖고 있지 않으니까 살 필요가 있어.”

그러고 보니 아이 씨의 의견이 채용되어 여름 축제 때 다들 유카타를 입고 가기로 정식으로 결정되었던 것이었다.

“좋네! 나도 아직 유카타를 안 샀으니까 유카타를 사고 싶어! 다이키랑 키노짱도 괜찮을까?”

“괜찮아요.”

“저도 괜찮아요. 케이 언니, 내 유카타 고르는 것도 도와 줄 수 있어?”

“뭐, 그 정도라면 해 줄 수 있어.”

---

* 일본어 '付き合う'에는 '행동을 함께한다'는 뜻 외에도 '사귄다'는 뜻도 있다.

"그럼 결정이네! 그럼 유카타 매장으로 렛츠 고!"

그리하여 우리들은 유카타 매장으로 가게 되었던 것이었다.

"오오! 생각했던 것보다 넓다!"

유카타 매장은 상상했던 것보다 규모가 있고 다양한 종류의 유카타가 진열돼 있었다. 피팅 공간도 있어서 실제로 입어 보는 것도 가능한 듯했다.

"좋았어, 매장에 도착했으니까 여기서는 둘씩 나뉘어서 행동하자."

"의외네. 다 같이 행동하자고 말하지 않는 거야?"

"그러고 싶은 마음은 굴뚝같지만 그러면 너무 시간이 걸리잖아. 그렇다고 다들 뿔뿔이 흩어져서 찾으면 굳이 넷이서 온 의미가 없으니까, 둘씩 나뉘면 딱 좋을 거라고 생각했어. 세 사람은 어떻게 생각해?"

잠시 고민해 봤지만 키노가 시미즈 씨나 아이 씨와 짝을 이뤄도 딱히 문제는 없을 듯했다. 그렇다면 아이 씨의 제안에 반대할 이유가 없었다.

"저는 괜찮아요."

"나는 아무래도 상관없어."

"저도 괜찮아요."

"결정이네! 조는 어떻게 짤까? 되도록 평소와는 다른 조합으로 짜고 싶은데."

나와 키노, 시미즈 씨와 아이 씨 조합을 제외하겠다는 뜻인가.

"그럼 난 케이 언니랑 같이 쇼핑하고 싶어! 그래도 되지, 케이 언니?"

"뭐, 키노가 그렇게 말한다면 그래도 상관없어."

"만세!"

기뻐하는 키노. 시미즈 씨도 영 싫지는 않은 눈치다.

"그럼 일단은 나와 다이키, 케이와 키노짱 페어로 가자. 그러다 어느 정도 시간이 지나면 페어를 바꾸는 걸로!"

"내 유카타를 먼저 골라도 돼?"

"네, 저는 아직 어떤 유카타를 살지 정하지 않아서요."

"그래? 다이키가 그렇게 말한다면 먼저 골라 볼까!"

아이 씨와 여성용 유카타가 전시되어 있는 코너로 이동한다. 유카타 코너는 공간이 비교적 넓게 조성돼 있어서, 분명 같은 코너에 있을 시미즈 씨와 키노의 모습도 근처에서는 눈에 띄지 않았다.

"그럼, 다이키. 어떤 유카타가 나한테 어울린다고 생각해?"

"네?"

아이 씨 쪽을 보자 아이 씨는 어째서인지 팔짱을 끼고 있었다.

"그러니까 다이키가 보기에는 어떤 유카타가 나한테 어울리는 것 같아?"

진열돼 있는 유카타를 둘러본다. 주위에 있는 유카타만 해도 색상과 무늬별로 종류가 풍부했다. 어느 것이 아이 씨에게 잘 어울릴지 고민하며 유카타를 구경하는데 시선이 느껴졌다.

"아이 씨?"

"왜 그래?"

"기분 탓일지도 모르겠지만, 아까 제 쪽을 쳐다보지 않으셨어요?"

"응. 보고 있었어."

그렇게 선뜻 긍정할 거라고는 생각도 하지 못했다. 내가 너무 과민한 건 줄 알았는데.

"왜 저를 보고 계셨어요?"

아이 씨는 잠시 생각하는 듯하더니 천천히 입을 열었다.

"처음엔 유카타를 골라 주는 걸 기다릴 작정이었는데, 다이키가 생각보다 진지하게 고민해 주길래. 나도 모르게 그만 빤히 쳐다봤어."

"그런 거였군요?"

"이제 알았겠지? 그래서 다이키, 괜찮은 유카타는 찾았어?"

"아뇨, 아직이에요."

"그래. 그럼 같이 찾아보면서 다른 얘기라도 하자!"

"네."

유카타로 시선을 돌린다. 어떤 색상의 유카타가 아이 씨에게 어울리려나. 고민하는데 문득 한 가지 의문이 떠올랐다.

"그러고 보니 오늘은 요스케 씨를 부르지 않으셨네요?"

"안 불렀는데, 그게 왜?"

"아이 씨는 시미즈 씨가 유카타를 사고 싶어 하는 걸 알고 있었죠? 아이 씨가 전에 옷을 고르러 갈 때는 요스케 씨를 데려간다고 하셨던 것 같은데 아닌가요?"

정확히는 요스케 씨가 아니라 소꿉친구라고 말했던 것 같지만, 아이 씨와 교우관계에 있는 이성 소꿉친구는 여태껏 요스케 씨 말고는 들어 본 기억이 없었다.

"용케 기억하고 있네. 확실히 평소에는 요스케를 부르지만, 이번에는 좀 그래서."

"좀 그렇다뇨?"

"서프라이즈거든!"

"서프라이즈요?"

"예스! 유카타를 같이 고르면 여름 축제 때 유카타를 입어도 요스케가 나한테 설레지 않을 수도 있잖아. 그래서 이번엔 굳이 요스케를 안 부른 거야!"

얘기에는 납득했지만, 그 이상으로 마음에 걸리는 점이 있었다.

"요스케 씨를 부르지 않은 이유는 알았지만 그렇게까지 말해도 괜찮으신 거예요?"

"엥, 내가 뭐 곤란한 얘기라도 했어?"

"아이 씨가 요스케 씨를 그…… 좋아한다고 말하는 거나 마찬가지잖아요……."

"아, 그런 뜻이었구나."

그렇게 말한 아이 씨의 표정에서 큰 변화는 보이지 않았다.

"괜찮아. 내가 요스케를 좋아한다고 카호 씨가 다이키한테 말해 버린 건 이미 다 들었으니까."

"그랬군요."

"응. 아, 신경 쓰지 않아도 돼. 다이키한테라면 들켜도 괜찮다고 생각했으니까."

나라면 다른 사람들에게 말하지 않을 거라고 생각한 걸까. 물론 아무에게도 말할 생각은 없었지만.

"뭐, 그래도 소녀의 연심을 알게 된 이상 다이키도 협력해 줘야 할 거야!"

"제가 할 수 있는 일이라면 최선을 다할게요!"

"그럼 일단은 유카타부터네. 요스케의 하트를 사로잡을 유카타를 찾자!"

"네!"

"이건 어때?"

피팅 룸의 커튼이 열렸다. 그곳에는 기모노 차림의 아이 씨가 서 있었다.

"밝은색 유카타가 아이 씨한테 잘 어울려서 괜찮은 것 같아요."

"그래……."

아이 씨의 유카타를 고르기 시작한 지 20분 뒤, 나와 아이 씨는 아직도 구입할 유카타 후보조차 정하지 못하고 있었다.

"다이키, 칭찬에 완전 소질 있는 거 아냐?"

"그렇지는 않다고 생각하는데요……."

"아냐, 어떤 유카타를 입고 나오든 바로 좋은 부분만 말한다는 건 꽤 어려운 일이거든? 그야말로 재능의 영역에 달해 있다고."

이런 식으로 칭찬을 받은 건 처음인 것 같다. 칭찬에 소질이 있는 건 아이 씨도 마찬가지라고 생각하는데.

"아이 씨는 지금까지 봐 온 것들 중에서 괜찮다고 생각한 유카타는 없으세요?"

"몇 개인가 있긴 해."

"그럼 그중에서 아이 씨가 제일 마음에 드는 유카타를 고르면 되지 않을까요?"

"으~ 음, 그래도 내가 좋아하는 유카타가 요스케 취향의 유카타일 거라고는 장담할 수 없잖아."

아이 씨의 목적은 어디까지나 요스케 씨가 좋게 여길 만한 유카타 찾기인 듯했다.

"그건 그렇지만…… 제 의견을 말해도 될까요?"

"좋지! 컴온!"

"솔직히 말하자면 저는 요스케 씨가 어떤 유타카를 좋아하는지 몰라요."

"뭐, 다이키랑 요스케는 딱히 둘이서 그런 얘기를 할 것 같지는 않지."

확실히 나는 요스케 씨와 종종 대화를 나누기는 해도 이성 취향에 관한 얘기는 별로 하지 않았다.

"그렇죠. 그래도 요스케 씨가 기뻐할 만한 일이 딱 한 가지 떠올랐

어요.”

“오오! 그게 뭔데?!”

“아이 씨가 진심으로 즐기는 거요.”

“응? 무슨 뜻이야?”

아이 씨는 납득이 되지 않는 기색이었다.

“요스케 씨는 아이 씨가 즐거워하는 모습을 보고 있을 때 표정이 부드러워지더라고요. 요스케 씨는 아이 씨가 즐기는 모습을 보는 걸 좋아한다고 생각해요.”

“……다이키, 다른 사람을 잘 관찰하고 있구나.”

아이 씨의 목소리가 작다. 자세히 보니 평소보다 얼굴이 조금 더 붉은빛을 띠고 있었다.

“그래서 말인데요, 아이 씨가 아이 씨 마음에 드는 유카타를 입고 여름 축제를 즐기면, 요스케 씨도 자연스럽게 시선을 빼앗기지 않을 까 싶어요.”

“그렇구나, 내가 좋아하는 유카타를 입고 축제를 엔조이하면 요 스케도 나한테 푹 빠질 거란 말이지!”

“푹 빠질지는 모르겠지만 요스케 씨가 아이 씨를 쳐다보게 될 건 확실하다고 생각해요.”

“좋았어, 그럼 방향성은 정해졌네! 남은 건 후보 중에서 선택하는 것뿐이야!”

“그럼 이 녀석은 더 이상 필요 없겠네.”

“엥?”

목소리가 난 쪽을 보자 그곳에는 어느새 시미즈 씨와 키노가 서 있었다.

"어라, 케이, 키노짱. 유카타 고르기는 벌써 다 끝냈어?"

"키노 건 골랐어. 시간도 꽤 지났으니까 이제 슬슬 조를 바꾸자."

아이 씨가 시간을 확인한다.

"확실히 생각했던 것보다 시간이 많이 지나 버렸네. 그럼 다음 조는……."

"소거법을 적용하면 나랑 혼도, 너랑 키노겠네."

"딱히 나랑 케이, 다이키와 키노짱이라도 상관없는데?"

"그, 그건 평소랑 다를 게 없으니까 내가 말한 조합으로 가는 편이 낫잖아!"

"그렇긴 해~."

"뭘 히죽거리는 거야!"

"딱히? 카호 씨가 해 준 조언을 활용하고 있구나 싶었을 뿐이야. 다이키랑 키노는 그래도 괜찮겠어?"

키노와 시선을 맞춘다. 키노가 고개를 끄덕였다. 아이 씨는 내가 모르는 곳에서 키노와 친해진 것 같으니 걱정할 필요는 없겠지.

"괜찮아요."

"……저도 괜찮아요."

"오케이! 그럼 이번엔 나랑 키노짱, 케이랑 다이키로 쇼핑 스타트!"

짝을 바꾸고 몇 분 뒤, 나와 시미즈 씨는 남성용 유카타를 전시 중인 공간으로 이동해 있었다.

"정말로 나부터 골라도 괜찮겠어? 시미즈 씨도 아직 유카타를 고르지 않았다며?"

"괜찮아. 근처에 아이가 있으면 정신이 산만해져. 나는 아이가 유카타를 고르고 나서 정하려고."

"그렇다면 다행이지만."

시미즈 씨에게로 시선을 보낸다. 새하얀 원피스를 입은 시미즈 씨를 본 건 이걸로 두 번째다. 그런데도 나는 그런 시미즈 씨의 모습에 여전히 적응이 되지 않고 있었다.

"뭐야. 옷을 왜 그렇게 빤히 쳐다봐."

"그게, 원피스를 입은 시미즈 씨를 오랜만에 보는 것 같아서."

"아이가 억지로 입혔어! 안 그랬으면 이렇게 사람이 많은 곳에 원피스를 입고 올 리가 없잖아!"

시미즈 씨의 얼굴은 분노 때문인지 창피해서인지는 몰라도 새빨개져 있었다.

"그, 그랬구나."

"그래, 이런 꼴로 학교 녀석들과 마주쳤다간 뭐라고 생각될지 정말……."

"확실히 평상시의 시미즈 씨와는 느낌이 다르니까 다들 놀랄지도 모르겠다."

"……안 어울린다고 솔직히 말해."

여전히 울컥한 표정으로 시미즈 씨가 나를 노려보았다. 내 말이 부족했나 보다.

"그런 생각 안 해. 전에도 말했던 것 같지만, 나는 그 흰색 원피스가 시미즈 씨한테 잘 어울린다고 생각해. 원피스를 입은 시미즈 씨는 정말 예쁘니까."

"뭐……!"

"시미즈 씨의 원피스 차림을 다시 볼 수 있어서 나는 기뻤어."

"그, 그만 하면 됐어, 충분해! 얼른 네 유카타를 고르자."

그렇게 말한 시미즈 씨의 귀에는 아직 붉은 기가 남아 있었다.

"시미즈 씨는 어떤 유카타를 사고 싶어?"

내 유카타를 고른 뒤 나와 시미즈 씨는 여성용 유카타 코너로 이동했다.

"딱히 입을 수만 있으면 뭐든 상관없어."

"대충 사면 아깝잖아."

"……그럼 네가 고르는 걸 도와주든가."

시미즈 씨의 그 목소리는 어쩐지 불안해하는 것처럼 들렸다.

"응, 알았어."

"나중에 무르기 없기야!"

"물론이지."

"……그럼 내가 유카타를 몇 벌 가져올 테니까 의견을 말해 줘."

몇 분 뒤, 시미즈 씨가 유카타를 몇 벌인가 장바구니에 넣어서 돌아왔다.

"미리 얘기해 두는데 대충 아무 말이나 하면 화낼 거야."

"그런 말은 안 해."

"그렇다면 됐어, 그럼 피팅 룸으로 가자."

"응."

나는 시미즈 씨의 뒤를 따라가는 모양새로 피팅 룸으로 향했다.

"이건 어때?"

시미즈 씨가 처음으로 입고 나온 유카타는 물빛 유카타였다. 유카타 안에는 주홍색 금붕어가 몇 마리 헤엄치고 있었다.

"색이 밝아서 귀엽다."

"귀엽…… . 뭐, 뭐어, 확실히 귀여운 유카타긴 해. 키노였다면 잘 어울릴지도 모르겠다."

"시미즈 씨도 귀여운 유카타가 잘 어울린다고 생각하는데."

"너, 너어, 자꾸 그렇게 아무 말이나 하면 때릴 거야!"

아무 말이나 할 생각은 없었는데, 보아하니 시미즈 씨는 화가 난 모양이었다.

"정말, 다음 옷 입고 나올게."

시미즈 씨가 다시 커튼을 쳤다. 잠시 기다리고 있자니 시미즈 씨의 목소리가 들려왔다.

"나가도 돼?"

"괜찮아."

"이건 어때?"

시미즈 씨가 다음으로 입고 나온 유카타는 옅은 물빛 꽃무늬가 특징적인 흰색 유카타였다.

"……처, 청초한 느낌이 나서 예쁘네."

왤까. 아이 씨에게 의견을 말하던 때와 비교하면 아까부터 말이 잘 나오지 않는 것 같은 기분이 든다.

"예, 예쁘……. 이 유카타가 말이지! 하지만 이것도 흰색이라 임팩트가 좀……."

"왜 그래?"

"혼잣말이야. 남은 건……."

시미즈 씨가 바구니 안에 담겨 있던 유카타 중에서 남색으로 나팔꽃 무늬가 그려져 있는 유카타를 찾아냈다.

"입어 보면 좋겠다."

어라, 내가 방금 뭐라고 말했지?

"너, 너, 갑자기 왜 그래……."

"그 유카타, 시미즈 씨한테 분명 잘 어울릴 거라고 생각해. 그러니까 여름 축제 때 그 유카타를 입었으면 좋겠어."

말을 마치자 퍼뜩 정신이 들었다. 오늘의 나는 왠지 이상하다. 어떻게 돼 버린 걸까.

"미안, 시미즈 씨. 방금 한 말은……."

"취소하지 마."

"어?"

“방금 한 말 취소하지 말라고.”

그 말은 어쩐지 애원하는 것처럼 들렸다.

“으, 응.”

“……네가 그렇게까지 말한다면 이 유카타를 여름 축제 때 입어 줄 수도 있어.”

“괜찮겠어? 시미즈 씨도 입고 싶은 유카타가 있을 텐데…….”

“나는 뭐든 상관없다고 처음에 말했잖아. 그러니까 이거면 돼.”

시미즈 씨는 그렇게 말하고는 피팅 룸을 뒤로했던 것이었다.

“좋았어, 다행히 전원 무사히 유카타를 사게 됐구나!”

몇 분 뒤, 나와 시미즈 씨는 아이 씨와 키노와 합류했다.

그나저나 그때의 나는 뭐였던 걸까. 스스로도 잘 모르겠다.

“그럼 다음 목적지로 갈까?”

“다음 목적지?”

아이 씨가 시간이 오래 걸릴 걸 신경 쓰고 있었던 건 따로 사고 싶은 물건이 있었기 때문이었나 보다.

“다음은 어디로 갈 생각인데?”

“우리가 여름 축제 말고 바다에도 갈 거잖아? 그럼 뭘 살 건지는 이미 예상이 되겠지?”

생각나는 상품은 하나밖에 없었다.

“다음은 수영복을 사러 갈 겁니다!”

“저기…… 아이 씨, 저는 당연히 세 사람과 따로 움직이는 거겠죠?”

“왜 그런 섭섭한 소리를 하는 거야! 당연히 다이키도 수영복 고르는 걸 도와줘야지!”

“맞아, 오빠!”

“에엥…….”

나는 양옆에서 아이 씨와 키노에게 붙들린 채로 수영복 코너라는 마경으로 향하게 되었던 것이었다.

※ ※ ※

“헐, 그럼 케이는 구매한 유카타를 다이키 앞에서 안 입어 본 거야?”

귀가 후, 나는 어째서인지 당연하다는 듯이 방으로 들어온 아이에게 질문을 받고 있었다.

“불만 있어?”

“그런 건 아니지만 모처럼 생긴 기회인데 그 유카타를 입고 다이키한테 잘 어울려, 케이…… 라는 말을 듣고 싶지 않았어?”

“……오늘 입는 것보다는 여름 축제 때 입어서 보여 주는 편이 임팩트가 크잖아.”

아이를 보자 어째서인지 히죽거리며 내 쪽을 보고 있다.

“뭐야.”

“아니, 자매라서 그런가 생각하는 게 똑같구나 싶어서. 여름 축제,

유카타를 입고 두 사람을 두근거리게 만들어 버리자!"

과연, 아이가 오늘 요스케를 부르지 않았던 이유를 이제야 알았다.

"케이, 오늘 한번 입어 봤으니까 혼자서도 어느 정도는 입을 수 있겠지? 아니면 여름 축제 당일에 내가 입는 걸 도와줄까?"

"내가 혼자서도 좀 더 잘 입을 수 있게 돼서 혼도한테 보여 주고 싶어."

"……그렇구나. 알았어!"

여름방학 합숙까지는 이제 얼마 남지 않았다. 내 남은 자유시간은 유카타 입는 방법을 배우는 데 소비하게 될 것 같다.

“바다다!”

전철 안에서 흔들리길 몇 시간, 우리들 천문부는 합숙의 첫 목적지인 해수욕장에 도착했다. 주위를 둘러보자 평일인 오늘도 해수욕장에는 제법 사람들이 있었다. 필시 고등학교뿐만 아니라 대학도 여름방학에 접어들었기 때문이리라.

“그렇게 시작부터 풀 악셀이면 밤까지 버티기 힘들어.”

“걱정할 필요 없어! 그런 일이 없도록 어젯밤에는 8시에 잤으니까!”

“너무 일찍 잤잖아.”

“그래서 이제부터 어떡할 거야?”

“우선은 수영복으로 갈아입자! 그리고 다 갈아입으면 다시 여기에 모이는 걸로!”

“그럴까. 다들 그래도 되겠어?”

“네.”

“어.”

세토 씨도 말없이 고개를 끄덕였다.

“좋았어, 그럼 결정! 남자들은 우리 쿨 뷰티 삼총사가 헌팅을 당하지 않도록 일찍 와서 기다리고 있어!”

“너한테 쿨한 요소는 없을 텐데.”

"그렇지 않아! 다들 입을 열면 큐트하지만 입을 다물고 있으면 쿨하다고 말한다고!"

"누가 그런 말을 했는지는 모르겠지만 100보 양보해서 그게 사실이라도, 입을 다물지 못하는 시점에서 아무리 애를 써도 쿨해지긴 힘들어."

"응, 아이 선배는 쿨이 안 어울려."

"미오짱까지 그쪽에 동의하는 거냐고~."

아이 씨는 어지간히도 충격을 받았는지 입가를 손으로 틀어막고 있다. 그런 아이 씨와 눈이 마주쳤다.

"다, 다이키는 나를 쿨하다고 생각하지?"

"그게……."

"지금 혼도의 이 얼빠진 대답이 모든 걸 말해 주고 있잖아."

"그럴 수가……."

아이 씨의 시선이 이번에는 요스케 씨에게로 향했다.

"요스케…… 거짓말이라도 좋으니까 나를 쿨하고 예쁘고 귀엽고 아름답다고 말해 줘."

"요구 사항이 많네."

"됐으니까 얼른, 플리즈!"

"알았어, 알았어. 아이는 쿨하고 예쁘고 귀엽고 아름다워."

"진심이 담겨 있지 않아!"

"네가 거짓말이라도 좋다고 말했잖아……."

"그건 그렇지만……, 그래서는 나중에 훌륭한 배우가 될 수 없어!"

"될 생각도 예정도 없으니까 문제없어."

"으윽……."

아이 씨가 불만스레 뺨을 부풀렸다.

"이렇게 된 이상 수영복으로 갈아입고 요스케 입에서 진심으로 쿨하다는 말이 나오게 만들고 말겠어! 둘 다 가자!"

"어이, 팔을 붙잡지 말라고!"

"……힘이 조금 세."

저항도 무색하게 시미즈 씨와 세토 씨는 아이 씨에게 팔을 붙들려 끌려갔다.

"……우리도 갈아입으러 갈까."

"네."

한발 늦게 나와 요스케 씨도 탈의실로 향했던 것이었다.

"세 사람이 안 오네."

"그러게요."

집합 장소로 돌아와서 몇 분쯤 지났을까. 천문부 여성진들은 아직도 돌아오지 않고 있었다.

"그렇게까지 서두를 필요는 없었던 것 같네."

"어~ 이, 거기 두 사람~."

목소리가 난 쪽을 돌아보자, 아이 씨 일행이 이쪽을 향해 걸어왔다.

"생각했던 것보다 시간이 걸렸네."

"미안, 자외선 차단제를 바르고 오느라 늦어 버렸어. 그래서 말인데요 요스케 씨, 저한테 뭔가 할 말은 없나요?"

"할 말? 무슨 얘기야?"

"새 수영복으로 갈아입고 온 울트라 프리티 걸에게 뭔가 하실 말씀은 없으신지 묻고 있사옵니다."

그런 뜻이었구나. 아이 씨는 프릴이 달린 밝은색 수영복을 입고 있었다. 그 수영복을 요스케 씨에게 칭찬받고 싶은 것이리라.

"……괜찮네."

요스케 씨가 그렇게 말하며 아이 씨에게서 눈을 돌린다. 자세히 보자 요스케 씨의 얼굴이 아주 약간 붉어져 있었다. 이건 분명 여름의 더위 때문만은 아닐 거라고 생각한다.

"에잇, 요스케의 보캐블러리에는 괜찮네 라는 단어밖에 없는 겁니까?!"

요스케 씨가 부끄러워하고 있다는 걸 아이 씨는 알아차리지 못한 기색이었다.

"……알았어. 좀 더 진지하게 고민해 볼 테니까 잠시 시간을 줘."

"좋아! 그럼 다이키!"

"아, 네!"

갑자기 호명 당해서 솔직히 놀랐다. 왜 이 상황에서 나를 부른 걸까.

"요스케의 싱킹 타임 동안 케이의 수영복을 본 소감을 부탁해!"

"엑."

"가, 갑자기 무슨 소리를 하는 거야!"

나보다 시미즈 씨 쪽이 더 이 상황에 동요하고 있는 것처럼 보였다.

"다이키는 칭찬을 잘하니까. 다이키가 케이를 칭찬하는 모습을 보여 줘서 요스케한테 여자애를 칭찬하는 법을 가르칠 거야!"

"왜 칭찬하는 대상이 나인 건데! 너나 세토여도 상관없잖아!"

"난 상관없지만 케이는 괜찮겠어?"

아이 씨가 히죽거리며 시미즈 씨 쪽을 바라본다.

시미즈 씨는 아이 씨를 노려보았지만 전혀 효과가 없었다.

"나는……."

"시미즈 씨가 내키지 않으면 내가 대신해도 상관없어."

"세토, 너!"

세토 씨의 표정은 언제나처럼 무슨 생각을 하고 있는지 간파하기 어려웠다.

"이것 봐, 그대로 있다간 다이키가 미오짱을 칭찬하게 될 거야."

"끄으응……."

아무래도 칭찬할 사람을 내 임의대로 선택할 수는 없는 모양이다. 그런 생각을 하고 있는데 시미즈 씨와 눈이 마주쳤다.

"어이, 혼도."

"왜?"

"세토 말고……."

목소리가 작아서 뒷부분이 잘 들리지 않았다.

"미안, 시미즈 씨. 안 들려서 그런데 한 번 더 말해 줄래?"

시미즈 씨는 나를 몇 초 노려보더니 크게 입을 열었다.

"세토 말고 나를 칭찬하라고!"

그렇게 외친 시미즈 씨의 얼굴은 누가 어떻게 봐도 새빨갛게 물들어 있었다.

"알았어."

반사적으로 고개를 끄덕였다. 거절한다는 선택지는 내 안에 존재하지 않았다.

"케이가 그렇게까지 말한다면 어쩔 수 없지. 미오짱도 괜찮지?"

"문제없어. 원래부터 그럴 생각이었어."

세토 씨가 방금 한 제안은 진심은 아니었던 모양이다.

"세토, 나를 함정에 빠뜨렸구나!"

"답답해서 살짝 등을 밀어줬을 뿐이야."

"미오짱은 나중에 슌야한테 수영복을 칭찬받자. 자, 치즈."

그 목소리와 함께 셔터 소리가 났다. 아이 씨가 들고 있던 스마트폰으로 세토 씨를 찍은 듯했다.

"오오! 예쁘게 찍혔네! 다들, 이것 봐봐!"

스마트폰 화면에는 원피스 타입 수영복을 입고 브이 사인을 하고 있는 세토 씨의 모습이 선명하게 찍혀 있었다. 분명 기습적으로 찍은 사진인데도, 세토 씨는 어째서 대응할 수 있었던 걸까.

"이 사진, 마츠오카한테 보낼 거야?"

"응, 이따가 다른 사진이랑 합쳐서. 슌야라면 틀림없이 기뻐할

인물사진
사진
비디오
시네마틱

거야!"

확실히 슌야라면 과장 없이 기뻐서 오열할 것 같다.

"그렇구나……."

"어라? 미오짱 혹시 싫었어? 그럼 보내지 말까?"

"싫지는 않아. 하지만 뭐랄까…… 조금 부끄러워……."

아이 씨는 그 말을 듣자마자 바로 세토 씨를 힘껏 끌어안았다.

"미오짱이 부끄러워하고 있어! 너무 귀여워!"

"아이 선배, 숨 막혀."

세토 씨가 무표정으로 아이 씨를 떼어낸다.

"헉, 미오짱의 너무나도 귀여운 모습에 이성을 잃고 있었어!"

"이야기가 옆길로 새고 있어. 혼도가 어쩔 줄 몰라 하잖아."

"맞다! 케이도 얼른 다이키한테 칭찬받고 싶을 텐데 말이야! 그럼 그 래시가드를 벗어."

"하?"

"하? 는 무슨! 그 래시가드를 벗지 않으면 안에 입은 수영복이 안 보이잖아!"

아이 씨의 말대로 시미즈 씨는 길이가 긴 래시가드를 입고 있어서, 안에 수영복을 입고 있는 게 맞는지조차 얼핏 봐서는 알기 힘들었다.

"……같이 수영복을 사러 갔으니까 벗지 않아도 혼도는 알고 있잖아."

"다이키도 처음에는 같이 있었지만 중간부터는 자기 수영복을 사러 가 버려서 케이가 어떤 수영복을 샀는지까지는 모를걸!"

"……정말 래시가드를 벗어야 해?"

"당연하지! 다이키도 케이의 수영복을 얼른 보고 싶지?!"

"그게…….."

"혼도는 다리 페티시. 그러니까 지금 상태로도 문제없어."

"세토~."

생각지도 못한 곳에서 생각지도 못한 발언이 날아왔다.

"미오짱, 다이키가 다리 페티시라는 걸 어떻게 알고 있어?"

내 다리 페티시는 언제부터 천문부의 공통 인식이 되었나. 그래도 확실히 세토 씨가 왜 나를 다리 페티시라고 생각했는지는 마음에 걸렸다.

"마츠오카가 전에 말했어."

"슌야…….."

아마도 악의는 없겠지만 나중에 떠벌리지 않도록 주의를 줘야겠다. 시미즈 씨에게로 시선을 되돌렸다. 래시가드로 노출을 막고 있는 덕에 그 아래로 늘씬하게 뻗은 아름다운 다리가 눈에 띄는 결과를 낳고 있었다. 내 시선을 눈치챘는지 시미즈 씨가 다리를 감추듯이 그 자리에 주저앉았다.

"너는 맨살이 드러나 있으면 어디든 상관없는 거야?!"

이 해수욕장에는 우리 말고도 사람이 있었기에 가능하다면 오해를 초래할 표현은 삼갔으면 좋겠다.

"그건 아닐 거야! 케이의 다리라서 보고 있었던 거지?"

예스라고 말해도 노라고 말해도 뭔가 소중한 것을 잃어버리게 될 듯한 질문이다.

"그런 거야, 혼도?"

치켜뜬 눈으로 그렇게 말하자 살짝 가슴이 두근거렸다. 하지만 여기서 잘못 대답하면 큰일이 날 거라고 육감이 경종을 울리고 있었다. 마음을 굳게 먹어야 한다.

"……시미즈 씨의 다리가 매력적이라 나도 모르게 봐 버렸어. 미안."

내가 할 수 있는 건 성심성의를 다해 사과하는 것뿐이었다.

시미즈 씨는 나를 몇 번인가 힐끔거리며 쳐다보더니 천천히 몸을 일으켰다.

"뭐, 누가 본다고 닳는 것도 아니니까 됐어. 그래도 모르는 녀석의 다리를 쳐다봤다간 흠씬 때려 줄 거야……."

"응, 알았어."

"좋아, 그럼 얼른 래시가드를 벗자!"

"그런 전개가 아니었잖아!"

"그런 전개였거든. 그리고 누가 본다고 닳는 것도 아니라고 말한 건 케이잖아. 자, 용기를 내!"

"으으……."

"그렇게 무리해서까지 래시가드를 벗을 필요는 없지 않아?"

보다 못한 요스케 씨가 시미즈 씨에게 도움의 손길을 내밀었다.

"요스케는 내 수영복을 본 소감이나 말해 줘!"

그 도움의 손길을 아이 씨가 산산이 깨부순다. 그런 와중에 시미즈 씨와 다시 눈을 마주쳤다.

"……너는 내 수영복을 보고 싶어?"

자세히 보자 시미즈 씨는 뺨을 아주 살짝 붉게 물들이고 있었다.

"시미즈 씨가 싫지 않다면."

시선을 피하지 않고 시미즈 씨에게 말했다. 시미즈 씨는 10초 정도 고민하는 기색을 보인 뒤, 크게 결심한 것처럼 래시가드를 단숨에 벗었다.

"……어때."

시미즈 씨가 입고 있는 수영복은 남색 비키니였다. 아직 부끄러움이 남아 있는지 시미즈 씨는 나와 눈을 맞춰 주지 않았다. 소감을 말하기 위해서 시미즈 씨를 관찰한다. 그 수영복은 시미즈 씨의 우월한 몸매를 더욱 돋보이게 만들고 있는 듯했다.

"다이키, 슬슬 케이에게 소감을 말해 줘."

퍼뜩 정신을 차린다. 생각했던 것보다 오래 시미즈 씨를 쳐다보고 있었던 모양이다.

"시미즈 씨, 그 수영복 잘 어울리고 굉장히 좋다고 생각해."

"……거짓말이면 화낼 거야."

"거짓말 같은 건 안 해. 수영복이 평상시의 시미즈 씨와는 또 다른 매력을 끌어내고 있어서 정말 예쁘다고 생각했어."

"뭐! 거기까지는 말하지 않아도 괜찮아!"

시미즈 씨는 뺨뿐만 아니라 얼굴 전체가 새빨개져 있었다.

"과연, 자연스럽게 그런 말이 나오다니 역시 대단해, 혼도……."

"감탄하고 있을 때가 아니라 이번엔 요스케 차례야! 내 수영복은 어때!"

그러고 보니 내가 시미즈 씨의 수영복을 보고 소감을 얘기하게 된 건, 원인을 따지면 요스케 씨가 아이 씨를 칭찬하는 말을 고민할 시간을 벌기 위해서였다.

"……그 수영복, 너한테 잘 어울려서 뭐, 그래서 뭐랄까, 그…… 아주 귀여운 것 같다고 생각해."

"그, 그렇구나……. 뭐, 뭐어, 요스케치고는 제법 노력한 것 같네."

아이 씨는 기뻐서 활짝 웃으려는 걸 애써 참고 있는 것처럼 보였다.

"너, 솔직하지 않네."

"그, 그렇지 않아! 다들 어서 가자! 바다가 우리를 부르고 있어!"

아이 씨는 그렇게 말하고는 바다를 향해 혼자 뛰기 시작했다.

"얼버무리려고 하네."

"응, 아이 선배 얼버무렸어."

"이봐 아이, 그만 뛰어! 다른 사람이랑 부딪히면 어쩔 거야!"

우리들은 달려간 아이 씨를 쫓아 바다로 향했다.

"후우, 제법 많이 놀았어!"

"그러게. 벌써부터 몸 구석구석이 뻐근해……."

공놀이와 수영을 하며 바다를 만끽한 우리들은 휴식을 위해 바다의 집* 근처에 와 있었다.

"어라, 왠지 저쪽에 사람들이 모여 있는 것 같지 않아?"

아이 씨가 가리킨 쪽을 보자, 그곳에는 소규모지만 군중이 형성돼 있었다.

"뭔가를 하고 있는 걸까요?"

"글쎄. 전에 조사했을 때는 오늘 뭔가 특별한 이벤트가 있다는 얘기는 적혀 있지 않았던 것 같은데."

"재밌어 보이니까 가 보자!"

우리는 아이 씨를 따라가는 모양새로 군중 쪽으로 향했다.

"오오, 또 새로운 손님들이 오신 듯하네요! 점점 열기를 더해가고 있습니다!"

군중들 앞에는 마이크를 손에 쥔 수영복 차림의 누님이 서 있었다. 나는 모르지만, 이 누님이 설마 유명한 사람인 걸까.

"아이, 저 사람 유명한 사람이야?"

"적어도 나는 모르는 사람이려나."

아이 씨가 모른다니 그렇게까지 유명한 사람은 아닌 모양이다.

우리들의 대화가 들린 건지는 모르겠지만, 누님이 이쪽을 보며 미소를 지어 보였다.

"그럼 중간에 오신 손님도 많아지기 시작했으니 다시 설명해 드리도록 하겠습니다. 지금 여기에서 개최 중인 건 바다의 집에서 주최하는 베스트 커플 콘테스트! 사전 고지 없는 돌발 이벤트 되겠습

* 일본의 해수욕장마다 있는 식당, 샤워장, 대여소 등 편의시설들을 합친 가건물을 말한다.

니다!"

"뭐, 뭐라고!"

과연, 돌발 이벤트라서 요스케 씨가 조사했을 때는 없었던 건가.

"커플이라면 누구나 출전 가능! 제가 하는 질문 몇 개에 대답해 주시면 되고 저를 가장 감동시킨 커플에게 우승이 돌아갑니다. 그리고 베스트 커플 콘테스트 우승 상품은 바다의 집에서 쓸 수 있는 당일 한정 스페셜 디저트 무료 시식권입니다!"

"왠지 좋아 보여!"

아이 씨의 눈동자가 평소보다 더 반짝이며 빛나고 있다.

"어이 아이, 설마 싶긴 한데……."

"출전하자, 요스케! 스페셜 디저트가 우리를 기다리고 있어!"

"우, 우리는 커플이 아니라고!"

"그걸 아는 사람은 이 땅에는 우리들 말고는 아무도 없어. 입만 다물고 있으면 아무도 모른다고. 자, 얼른 가자!"

아이 씨가 요스케 씨의 팔을 붙잡고 누님이 있는 쪽으로 끌고 가려 했다.

"요스케 포기해. 우리들은 여기서 기다리고 있을 테니까 마음껏 날뛰고 와."

"뭘 남의 일처럼 말하는 거야? 케이랑 다이키도 나갈 거거든?"

"하?"

"네?"

방금 아이 씨가 터무니없는 소리를 입에 담은 것 같은 기분이 든다.

"왜 나랑 혼도까지 나가야 하는 건데!"

"그야 머릿수가 많을수록 우승할 확률도 올라가잖아? 나는 당일 한정 스페셜 디저트를 먹고 싶어! 그러기 위해서라면 뭐든지 할 거야!"

아이 씨가 요스케 씨에게 어필할 기회라고 생각해서 이러는 건지, 아니면 진짜로 당일 한정 스페셜 디저트가 먹고 싶은 건지 모르겠다. 부디 전자였으면 좋겠다.

"끌어들이려면 요스케만 끌어들여. 아무튼 나는 안 나갈 거니까."

"아, 그래."

"뭐, 뭐야."

"케이는 지는 게 무서운 거구나. 뭐, 어쩔 수 없지. 언니에게 이기는 여동생 따윈 존재하지 않으니까!"

아이 씨는 사악한 미소를 짓고 있었다. 그런 식으로 시미즈 씨를 도발하면…….

"……어."

"뭐라고? 목소리가 작아서 잘 안 들리네."

"나가 주겠어! 너 따윈 순식간에 쓰러뜨려 줄 거라고!"

"시미즈 씨…….

역시 이렇게 되는 건가. 한 번 눈이 돌아간 시미즈 씨를 멈출 방법은 나에게는 없었다. 이리하여 나와 시미즈 씨, 요스케 씨와 아이 씨는 각자 커플로 베스트 커플 콘테스트에 출전하게 되었던 것이었다.

"그럼 다음 커플 두 분, 이쪽으로 와 주세요!"

"네~!"

기운찬 대답과 함께 아이 씨가 요스케 씨를 끌고 사회자 누님 앞으로 걸어갔다. 누님이 두 사람에게 마이크를 하나씩 건넸다.

"싱그러운 커플이네요! 일단 이름부터 말씀해 주시죠."

"시미즈 아이예요!"

"사카타 요스케입니다."

"여친분이 발랄하시네요!"

"감사합니다!"

"그럼 질문으로 옮겨가도록 하겠습니다. 두 분이 처음 만난 건 언제인가요?"

"저희가 유치원생이었던 때입니다."

요스케 씨가 억양 없는 목소리로 사회자 누님의 질문에 대답했다.

"그럼 두 분은 소꿉친구이신 건가요?!"

"네! 저와 요스케는 유치원 때부터 지금까지 계속 함께 지낸 소꿉친구예요!"

"오오! 좋네요, 소꿉친구!"

아이 씨는 그렇다 치고 사회자 누님도, 두 사람이 소꿉친구라는 말을 들은 순간부터 흥분도가 눈에 띄게 올라간 것처럼 보였다.

"그런 소꿉친구 두 분은 사귄 지 얼마나 되셨나요?"

"1년 정도예요."

아이 씨가 대답한다. 사전에 질문할 내용을 미리 예상해서 답변을 정해 둔 것 같았다.

"어느 분이 고백하신 건가요?"

"음, 그건……."

아무래도 회의 때 어느 쪽이 고백했는지까지는 상의하지 않았나 보다.

"접니다."

아이 씨의 눈이 점이 되었다. 상황이 이렇게 될 건 가정해 보지 않았던 모양이다.

"남친분이셨군요! 어떤 식으로 고백하셨나요?"

"……좋아해요. 사귀어 주세요 라고 말했습니다."

"심플하지만 멋진 고백이네요! 그 말을 듣고 여친분은 어떤 생각이 드셨나요?"

"그게…… 너무 기뻐서 가슴속이 따뜻한 감정으로 가득 차올랐어요."

아이 씨는 요스케 씨에게 정말로 그런 말을 들은 적이 있는 것처럼 부드러운 미소를 띠고 있었다.

"청춘이네요! 다음은 서로의 좋아하는 부분을 가르쳐 주시죠. 먼저 남친분부터."

"……주변을 늘 밝은 미소로 비춰 주는 점이네요."

요스케 씨의 말을 들은 아이 씨가 얼굴을 붉힌다. 바로 대답이 나온다는 점에서 요스케 씨가 정말로 그렇게 생각하고 있다는 것이 느껴졌다.

"여자친구분의 미소가 정말 멋지긴 하죠! 여친분은 남친분의 어디가 좋으신가요?"

"이러쿵저러쿵 투덜거리면서도 제가 난처해하고 있으면 언제나 손을 내밀어 주는 점이요."

아이 씨도 아무렇게나 말하고 있는 것처럼은 보이지 않는다.

"다정한 남친분이시네요! 다음은 조금 대답하기 힘든 질문일 수도 있는데요, 상대방의 결점이라고 생각하는 부분은 있나요?"

"있어요!"

아이 씨가 힘차게 손을 들었다.

"그럼 여친분부터 답변해 주시죠."

"평소에는 저를 별로 칭찬해 주지 않는 점이요!"

"라고 하는데요, 남친분."

사회자 누님이 웃으며 요스케 씨에게 답변을 재촉한다.

"……노력해 보겠습니다."

"남친분이 수줍음을 많이 타시는 모양이네요. 반대로 남친분이 여친분의 결점이라고 생각하는 부분은 뭐가 있을까요?"

요스케 씨는 고민하는 기색을 보이더니, 어째서인지 미소를 지었다.

"딱히 없네요."

"하나도 없나요?"

"네, 다른 사람과 비교해서 부족한 부분이 있을 수는 있겠지만, 그것도 아이의 매력에 포함된다고 생각해서요."

요스케 씨가 그렇게 말을 마치는 것과 동시에 탄성이 터져 나왔다.

"오늘 가장 열띤 반응! 여친분이 아주 사랑받고 계시군요!"

"에헤헤."

아이 씨도 만면에 미소를 지으며 기쁨을 숨기지 못하는 기색이었다.

"그럼 다음으로 랜덤 질문 하나를 드리겠습니다. 여친분, 1에서 20까지 중에서 임의로 한 개의 숫자를 골라 주실 수 있을까요?"

"럭키 세븐의 7로 할게요!"

"네, 7이시군요. 7번 질문은…… 두 분의 첫 키스에 관해 얘기해 주세요!"

"네?"

"다시 한 번 말씀해 드릴게요. 두 분이 나눈 첫 키스의 추억을 얘기해 주세요!"

아이 씨도 딱히 알아듣지 못해서 되물어본 건 아닐 거라고 생각한다. 그저 조금도 예상하지 못했던 질문 때문에 굳어 버린 것이리라. 아이 씨는 얼굴을 새빨갛게 붉히며 난처한 얼굴로 요스케 씨를 바라보고 있었다. 요스케 씨도 기분 탓인지는 몰라도 안절부절못하고 있다.

"저기 두 분, 대답하기 힘드시면 이 질문은 패스해도……."

"괘, 괜찮아요!"

그렇게 대답한 아이 씨는 아무리 봐도 괜찮지 않았다.

"그러신가요? 그럼 여쭤보겠습니다. 먼저 첫 키스를 한 장소는 어디였나요?"

"과, 관람차예요."

"오오, 로맨틱하네요! 관람차에서 키스하게 된 경위를 가급적 자세히 가르쳐 주시죠."

"음……, 그건……."

"저 녀석, 이미 한계에 달했네."

내 옆에 있던 시미즈 씨가 툭 혼잣말했다. 확실히 내가 봐도 한계에 가까워진 듯했다.

"그다음은 제가 이어서 말할게요."

그런 와중에 요스케 씨가 다시 입을 열었다.

"여자친구분이 첫 키스의 기억을 떠올리고는 부끄러워지신 모양이네요. 그럼 남친분 부탁드릴게요."

"장소는 놀이공원의 관람차. 연인이 되고 난 뒤 첫 데이트의 마지막에 둘이 같이 타고는 곤돌라가 제일 위로 올라갔을 때…… 제 쪽에서 아이에게 키스했어요."

주위에서 새된 탄성이 들려왔다.

"……좋다, 너무 좋아서 그 말밖에 나오지 않네요."

아이 씨 쪽을 확인하자 요스케 씨를 향해 열띤 시선을 보내고 있었다.

"좀 더 자세히 얘기를 들어 보고 싶지만 슬슬 시간이 다 된 것 같네요. 마지막으로 뭔가 전하고 싶은 말이 있으시다면 해 주시죠!"

"요스케가 저를 많이 칭찬해 줘서 기뻤어요! 베스트 커플 콘테스트 최고!"

"그렇게 말씀해 주시니 기쁘네요! 그럼 두 분 감사했습니다!"

요스케 씨와 아이 씨가 마이크를 누님에게 건네고 이쪽으로 돌아왔다.

"후우, 긴장돼 죽는 줄 알았어!"

"어떻게 봐도 평소랑 다름없던데."

"그랬어? 뭐, 다음은 케이랑 다이키 차례야. 편안한 마음으로 다녀와!"

아이 씨가 나와 시미즈 씨의 등을 가볍게 두드렸다.

"그럼 다음 커플 두 분. 이쪽으로 와 주시죠!"

시미즈 씨와 시선이 마주쳤기에 고개를 끄덕였다. 나는 시미즈 씨와 보폭을 맞춰 천천히 사회자 누님 앞으로 갔다.

"먼저 이름을 알려 주실 수 있을까요?"

"혼도 다이키입니다."

"……시미즈 케이."

"어라, 제 기억이 확실하다면 방금까지 계셨던 여자분의 성도 시미즈였던 것 같은데요. 혹시 자매신가요?"

"……일단은."

아이 씨가 손을 흔들었지만 시미즈 씨는 완전히 무시했다.

"과연, 자매가 각자 파트너를 데리고 바다에 온 거군요! 흔히들 더블 데이트라고 말하는 그건가요?!"

"……뭐 그렇지."

시미즈 씨는 부정하면 귀찮아질 거라고 생각했는지 미간을 찌푸리며 고개를 끄덕였다.

"멋져요! 아차, 얘기가 옆길로 새 버리고 말았네요. 그럼 질문으로 옮겨가도록 하겠습니다. 두 분이 처음 만난 건 언제인가요?"

"그게, 중학교 때입니다."

나는 시미즈 씨와 처음 만났던 걸 고등학교 1학년 때라고 생각하고 있었지만, 몇 달 전에 시미즈 씨와 체육관에서 얘기를 나누다가 중학교 때 이미 만났다는 걸 떠올렸다.

"동급생이셨나요? 아니면 같은 동아리 소속이셨거나?"

"둘 다 아니었어요."

"그렇군요? 그럼 어쩌다 만나게 되신 건가요?"

어떻게 대답하지. 나와 시미즈 씨는 중학교 때는 같은 반도 동아리도 아니었다.

어떻게 말할지 고민하고 있는데 옆에 있던 시미즈 씨가 입을 여는 것이 보였다.

"……내가 곤경에 처해 있을 때 나타나서 도와줬어."

"처음 만났을 때부터 여친분에게 남친분은 히어로셨군요!"

시미즈 씨는 긍정도 부정도 하지 않았다. 고개를 돌리고 있었기에 어떤 표정을 짓고 있는지도 알 수 없었다. 그저 귀가 붉어져 있다는 것만 확인할 수 있었다.

"그런 두 분, 사귄 지는 얼마나 되셨나요?"

“3개월입니다.”

이건 미리 둘이서 상의해 정해 뒀다.

“풋풋한 커플이네요! 어느 분이 먼저 고백하셨나요?”

“저예요.”

“남친분이셨군요! 괜찮으시면 어떻게 고백했는지 얘기해 주실 수 있을까요?”

아까 요스케 씨와 아이 씨에게 하던 질문을 들었기에 우리에게도 이 질문을 할 것은 짐작하고 있었다. 하지만 의논할 때는 고민해 보지 않았기에, 고백의 말은 지금 생각할 필요가 있었다. 뇌를 풀로 회전시킨 결과, 내 안에서 한 가지 기억이 되살아났다.

“시미즈 씨를 벽으로 밀어붙이고 그 벽을 치면서, 널 아무에게도 넘겨주고 싶지 않아. 계속 내 옆에 있어 라고 말했습니다.”

“너, 그건…….”

시미즈 씨는 눈치챈 모양이다. 그렇다, 이건 전에 천문부 부원들끼리 왕 게임을 했을 때 시미즈 씨에게 말했던 대사다. 냉정하게 돌이켜 보면 엄청난 대사였지.

“리얼 벽치기! 남친분이 보기보다 적극적인 타입이셨군요~.”

사회자 누님이 명백하게 냉정을 잃고 있다. 내 인생에서 했던 것 중에 가장 고백에 가까운 말이라고 생각했는데 역시 이상했을지도 모르겠다.

“그런 남친분의 정열적인 대시에 여친분은 어떤 생각이 드셨나요~?”

"……머릿속이 새하얘졌어."

"그렇겠죠~. 요즘 커플들은 굉장하네."

사회자 누님이 나를 보는 눈이 조금 전과는 달라진 것 같은 기분이 든다.

"죄송해요, 살짝 이성을 잃고 말았네요. 다음 질문입니다. 서로의 좋아하는 부분은 어디인가요? 먼저 남친분부터 말씀해 주시죠!"

"시미즈 씨의 좋은 부분은 말을 잘 들어 주고 얘기하면 즐거운 기분이 든다는 점과 최선을 다하는 노력가라는 점, 그리고 다른 사람을 잘 살피고 있다는 점과……."

"어이, 그만해!"

"엥, 아직 끝나려면 한참 멀었는데?"

"그만 하면 충분해! 사회자가 곤란해하고 있잖아!"

사회자 누님 쪽을 보자 확실히 조금 난처한 미소를 짓고 있었다.

"나, 남친분이 여친분을 정말로 좋아하시는군요……. 여친분은 남친분의 어떤 점을 좋아하시나요?"

시미즈 씨에게로 질문이 옮겨간다. 몇 초의 침묵 뒤, 시미즈 씨가 입을 열었다.

"……나의 내면을 봐 주는 점."

"확실히 여친분이 귀엽긴 하시니까요. 그 마음, 이해가 가네요."

사회자 누님도 짚이는 구석이 있는 모양이다.

"다음 질문입니다. 상대방의 결점이라고 생각하는 부분을 말씀해 주세요. 이번에는 여친분부터!"

“……누구에게나 다정한 점.”

무슨 뜻이지. 누구에게나 다정하다고 생각하지도 않지만, 누구에게나 다정한 게 문제라도 된다는 걸까.

“아~, 남친분이 딱 봐도 좋은 사람 같아 보이긴 해요……. 노파심에서 드리는 말씀이지만, 많이는 바라지 않으니까 조금만 더 여친분을 봐 주세요.”

“아, 네.”

진심인지 아닌지는 모르겠지만, 시미즈 씨가 나에게 조금이라도 불만이 있다면 고치고 싶다.

“남친분은 여친분의 결점이라고 생각하는 부분이 있나요?”

“있어요. 조금 더 주변에 의지해 줬으면 좋겠습니다.”

“구체적으로 말하자면?”

“시미즈 씨는 그래도 요즘은 좀 나아지긴 했지만, 문제가 생기면 혼자서만 해결하려고 하는 경우가 많아요. 그러니까 저나 주변 사람들을 좀 더 의지해 줬으면 좋겠어요.”

“그렇군요…….”

“시미즈 씨만 민폐로 여기지 않는다면 저는 항상 옆에 있고 싶으니까, 시미즈 씨가 원하는 만큼 저나 주변 사람들을 의지해 줬으면 해요.”

“뭐!”

주위에서 어째서인지 술렁임이 터져 나왔다.

“무의식이라고……. 상남자네…….”

무슨 뜻인 걸까. 시미즈 씨 쪽을 봐도 얼굴을 마주쳐 주지 않았다.

"그럼 다음은 랜덤 질문입니다. 여친분, 1부터 20까지 중에서 임의로 숫자 하나를 골라 주시겠어요?"

"……12."

"12군요. 12는…… 갑작스럽지만 두 분 허그해 주세요!"

"하?"

"네?"

"허그 부탁드립니다!"

못 들은 게 아니다. 너무 갑작스러워서 뇌가 미처 처리하지 못했을 뿐이다.

"그건, 질문이 아니잖아!"

"실은 랜덤 질문이라고 말하긴 했지만 질문 외에도 이것저것 넣어 놨거든요. 자자, 어느 분이 먼저 시작하시든 상관없으니까 뜨거운 허그 부탁드립니다!"

랜덤 질문에 어떤 질문이 올지 생각하면서도 이런 전개는 솔직히 예상하지 못했다. 시미즈 씨를 보자 아직 아무것도 하지 않았는데 얼굴이 온통 새빨개져 있었다.

"풋풋한 두 분께는 조금 어려웠나요?"

"허, 허그 정도는 쉽지!"

딱히 사회자 누님이 시미즈 씨를 도발하고 있는 건 아니라고 생각한다.

"그런가요? 그러면 시작하시죠!"

시미즈 씨에게로 시선을 옮긴다. 시미즈 씨는 결심을 마쳤는지 눈을 감은 채 활짝 양팔을 벌렸다.

"어, 얼른 해!"

관중들의 시선이 내게로 모이는 것이 느껴졌다. 시미즈 씨가 각오를 다졌으니 나도 그에 응답해야 한다. 나는 시미즈 씨에게 천천히 다가가 그 몸을 끌어안았다.

"오오!"

심장 고동이 평소보다 빨라진 것을 알 수 있다. 둘 다 수영복 차림으로 포옹한 탓에 살과 살이 밀착됐다. 나는 시미즈 씨의 부드러움을 의식하지 않으려 애쓰는 데 모든 신경을 집중했다.

"웅."

시미즈 씨, 정말 부탁이니까 요염한 소리를 자제해 줬으면 좋겠어.

"네, 두 분 다 보고 있는 저까지 두근거리는 허그 감사했습니다!"

그 목소리와 동시에 서로 거리를 벌렸다. 위험했다. 여기서 더 허그를 계속했다간 어떻게 됐을지 알 수 없었다. 시미즈 씨를 보자 풀린 듯 눈을 게슴츠레하게 뜨고 있었다.

"얘기를 조금 더 듣고 싶지만 시간이 다 돼 버렸네요. 마지막으로 뭔가 전하고 싶은 말이 있으시다면 해 주시죠!"

"시미즈 씨에 대해 더 많이 알 수 있어서 기뻤어요. 감사했습니다."

나는 아무 얘기도 하지 않게 된 시미즈 씨를 데리고 사회자 누님을 뒤로했다.

"다이키, 너, 제법이구나!"

"감사합니다?"

베스트 커플 콘테스트는 그 뒤로도 계속되었고, 해변은 잔뜩 달아올랐다.

"조금 늦어져 버렸네."

"예정에 없던 이벤트가 갑자기 포함됐으니까."

우리들은 베스트 커플 콘테스트를 마치고 바다의 집 앞에 있었다. 콘테스트에서는 아쉽게도 우승하지 못했지만, 사회자 누님에게 칭찬을 들었다.

정오가 지나 배가 고팠던 우리들은 살짝 늦은 점심을 먹기로 했다.

"어디 어디, 자리가 비어 있으려나?"

대기 중인 우리들을 알아본 직원이 빠른 걸음으로 다가왔다.

"손님, 몇 분이신가요?"

"다섯 명이요."

"지금은 조금 혼잡해서 다섯 분이 한 번에 앉을 수 있는 자리가 없는데, 2인석과 4인석으로 나눠서 따로 안내해 드려도 괜찮을까요?"

"잠시 고민해 봐도 될까요?"

"네. 그럼 결정되시면 불러 주세요."

직원은 그렇게 말하고는 바쁘게 떠나갔다.

"어떻게 나눌까? 2인이랑 3인으로 나눌 거지?"

"평범하게 남녀로 나누면 되지 않을까?"

"그러면 헌팅을 당할지도 모르잖아!"

“그럼 어떡할래?”

“다들 동시에 가위바위보를 내서, 남녀로 잘 나눠지면 그걸로 가자!”

“그게 빠르겠네. 다들 동의하지?”

나를 포함한 2학년 세 사람이 고개를 끄덕인다.

“좋아, 결정됐으니 간다! 시작!”

그 말과 동시에 다들 손을 앞으로 내밀었다.

“이 조합은 또 특이하네.”

“확실히.”

“그럴지도 모르겠네요.”

결국 자리는 나와 세토 씨와 아이 씨, 요스케 씨와 시미즈 씨로 나뉘게 되었다. 2인석은 우리가 앉은 자리에서는 제법 떨어져 있어서 모습은 보여도 목소리는 전혀 들리지 않았다.

주문을 마친 우리들 세 사람은 요리를 기다리는 중이었다.

“뭐, 우리 셋이 한 조가 된 것도 뭔가의 인연이겠지. 두 사람, 내 애기를 좀 들어 주지 않을래?”

“당연히 들어야지.”

“고마워, 미오짱. 그래서 말인데 요스케가 나를 좋아한다고 생각해?”

“픕.”

하마터면 입에 머금고 있던 물을 뿜을 뻔했다.

"다이키, 괜찮아?"

"괘, 괜찮아요……."

"갑작스러워서 놀랐지."

이 시점에 그런 질문을 할 줄은 생각지도 못했기에 솔직히 제법 놀랐다.

"왜 그런 걸 묻는 건데?"

"실은 그게요……. 제가, 요스케를 좋아하거든요."

"그건 알고 있어."

"어라, 미오짱한테도 얘기했던가?"

"직접 얘기하지는 않았어. 하지만 1학년 때부터 아이 선배와 사카타 선배를 옆에서 봐 왔으니까 그 정도는 나도 알 수 있어."

"미오짱도 눈치채고 있었구나. 좀 부끄럽기도 하고 기쁘기도 하고……."

아이 씨는 양손의 손가락 끝을 맞대며 수줍은 미소를 지어 보였다.

"얘기가 딴 길로 샜네. 그래서 너희들한테 방금 그런 질문을 한 건 초조하기 때문이야!"

"초조해?"

"이제 고등학교 마지막 1학기가 끝났고, 앞으로 남은 시간도 수험 공부를 하다 보면 순식간에 지나갈 거잖아. 이대로 있다간 요스케와 다른 대학에 입학해서 그대로 멀어질 텐데……. 그렇게 되는 건 싫어서 요스케가 나한테 고백해 주기를 기다리고 있거든!"

"그런 거였군요."

질문의 의도는 이해했다. 하지만 나에게는 그럼에도 이해가 되지 않는 일이 있었다.

"궁금한 거 물어봐도 돼?"

"뭔데?"

"왜 아이 선배는 먼저 고백하지 않는 거야?"

나도 그게 마음에 걸렸다. 아이 씨라면 고백을 기다리는 게 아니라 직접 고백할 것 같았기 때문이다. 세토 씨의 물음에 아이 씨는 씁쓸한 표정을 지었다.

"그건……."

"그건?"

"요스케가 다정해서."

"무슨 뜻인가요?"

요스케 씨가 다정한 건 알지만, 그것과 아이 씨가 요스케 씨의 고백을 기다리는 것에 무슨 상관이 있다는 걸까.

"내가 고백하면 요스케는 틀림없이 받아 줄 거라고 생각해. 하지만 요스케는 다정하니까 나를 좋아하지 않더라도 나를 상처 입히지 않으려고 받아 주겠지. 그래서 이게 완전히 내 멋대로라는 건 아는데도, 요스케가 먼저 고백해 줬으면 좋겠단 말이지……."

아이 씨의 표정은 여태껏 본 적이 없을 만큼 수심에 차 있었다.

"나는 역시 여자로서 매력이 없는 걸까……."

그때였다, 세토 씨가 아이 씨의 뺨을 꼬집은 건.

"하파!"

그 목소리를 듣자 그제야 세토 씨는 아이 씨의 뺨에서 손을 뗐다.

"왜 내가 뺨을 꼬집었는지 알겠어?"

"글쎄? 재미없는 얘기를 해서?"

"아냐. 아이 선배를 바보 취급해서야."

"그게 무슨 뜻이야?"

"아이 선배는 매력적이야. 사카타 선배도 분명 그렇게 생각할걸. 그런 아이 선배를 바보로 보는 사람은 설령 아이 선배 자신이라도 용서할 수 없어."

보아하니 세토 씨는 아이 씨에게 화를 내고 있는 듯했다.

"미오짱도 아까 내가 쿨하지 않다고 말했잖아!"

"그건 사실이니까."

"너무해!"

아이 씨는 세토 씨의 발언에 충격을 받았지만, 그 얼굴에는 어느새 평상시의 미소가 돌아와 있었다.

"미오짱, 가차 없네. 그래도 덕분에 기운을 되찾았어!"

"다행이야. 역시 아이 선배는 기운이 넘치는 편이 나아."

"그게 내 매력이니까 말이지! 이 상태로 요스케의 하트도 척척 사로잡아 주겠어!"

한때는 어떻게 되려나 걱정했지만, 기운을 되찾은 듯해서 다행이다.

"얘기를 들어 준 보답으로 이번에는 내가 상담을 받아 줄게! 너희들은 뭐 물어보고 싶은 거 없어?"

"……잠깐 고민해 볼게. 혼도, 궁금한 게 있으면 먼저 물어봐."

"다이키는 뭘 물어보고 싶은데?"

"그게, 아이 씨는 요스케 씨의 어떤 점을 그…… 좋아하시는 건가요?"

아이 씨는 요스케 씨가 앉은 자리를 보며 미소 지었다.

"콘테스트 때도 말했지만 요스케는 예전부터 내가 곤경에 처하면 투덜거리면서도 결국은 항상 도와줬어. 그런 점에 조금씩 이끌렸다고 생각해."

"그렇군요……."

예전부터 옆에 있었기에 아이 씨는 요스케 씨를 점점 좋아하게 되어간 걸까.

"나도 질문해도 돼?"

"물론이지!"

"아이 선배는 사람을 좋아하게 된다는 건 어떤 거라고 생각해?"

아이 씨가 다시 진지한 표정을 지었다.

"……어려운 질문이네. 나는 그 사람 옆에 계속 함께 있고 싶다는 생각이 드는 게 사람을 좋아하게 된다는 게 아닐까 하고 생각해."

옆에 계속 함께 있고 싶다라…….

"너무 추상적인가. 뭐, 사랑의 형태는 사람 수만큼 존재한다고 생각하니까 너희들도 자신만의 사랑을 찾아보도록 해! 아, 요리가 나오나 봐!"

그 뒤, 나는 주문한 야키소바를 먹으며 사람을 좋아하게 된다는 건 무엇인가를 고민하고 있었다.

※ ※ ※

"너, 아까부터 뭘 힐끔거리면서 저 녀석들 쪽을 보는 거야."

"아이 쪽에서 나는 소리가 여기까지 들리는지 신경이 쓰여서."

귀를 기울여 봤지만 여기서 아이 일행이 있는 자리까지는 제법 거리가 떨어져 있었기에, 세 사람의 목소리는 전혀 들리지 않았다.

"안 들리는데. 그리고 들린다고 해도 그게 무슨 상관이야."

"지금부터 할 얘기가 아이 귀에 들어가면 곤란하거든."

"무슨 얘기를 하려고."

"얘기하기 전부터 그렇게 질색하는 표정을 짓지 말아 줘."

요스케가 난처한 듯이 미소를 지었다. 아무래도 감정이 표정으로 티가 났던 모양이다.

"뭐 됐어, 아무튼 얘기해 봐."

"미안. 내가 얘기하고 싶은 내용은 하나야. 케이, 너한테 부탁이 있어."

"부탁? 나한테 뭘 시킬 작정인데."

요스케가 나에게 부탁하는 건 드문 일이다. 그래서 더 현 단계에서는 무슨 부탁을 해 올지 알 수 없었다.

"그렇게까지 까다로운 부탁은 아니야. 내일 있을 여름 축제 때 나랑 아이가 둘만 남을 기회를 만들어 줬으면 좋겠어."

요스케의 그 진지한 표정 덕에, 나는 요스케가 내일 뭘 하려는 건지 바로 깨달았다.

"너, 아이한테 고백할 거야?"

"역시 눈치챘네."

아무래도 내 예상이 적중한 모양이다.

"아까 그 커플 콘테스트의 영향을 받은 거야?"

"고백하려고 마음먹은 건 그보다 훨씬 전이야."

"그럼 언제부터 마음을 정한 건데."

"아이가 합숙을 가자고 말했을 때부터."

그렇게 전부터 아이에게 고백할 마음을 먹고 있었던 건가.

"왜 이 타이밍이야?"

"이 합숙이 끝나면 문화제 준비나 수험공부로 바빠질 테니까. 아이한테 마음을 전할 기회는 이번 합숙이 마지막이라고 생각했어."

얼마 전에 카호도 그런 말을 했다. 요스케도 고등학교 생활 중에 아이와 함께할 수 있는 시간이 이제는 그리 길지 않다는 걸 깨달은 듯했다.

"좀 물어봐도 돼?"

"응."

"아이와 그동안 쌓아온 관계가 망가질까 봐 두렵지 않아?"

"두렵지 않다…… 고 말하면 거짓말이겠지. 고백이 성공하든 실패하든 여태까지와 같은 관계로는 있을 수 없게 될 거야."

"그럼 어째서……."

"앞으로도 아이 옆에 있고 싶다고 생각했기 때문이야. 아이의 미소를 계속 보고 있고 싶어."

그렇게 단언한 요스케의 얼굴은 평소보다 늠름해 보였다.

"……알았어. 내일 여름 축제 때 어떻게든 너랑 아이를 둘만 남게 해 줄게. 그러니까 한 번에 성공해."

"고마워, 케이."

"감사 인사는 성공하고 나서 해."

요스케는 용기를 내어 크게 한 걸음을 내딛으려 하고 있다. 나에게도 언젠가 이렇게 한 걸음을 내디딜 날이 올 수 있을까.

“왜 굳이 셋이서 같이 목욕을 해야 하는데!”

“합숙이기 때문이지!”

“그건 대답이 안 돼!”

합숙 첫날 밤, 저녁 식사를 마친 나와 아이, 세토는 숙소 방 안에서 쉬고 있던 참이었다. 혼도와 요스케도 지금쯤이면 다른 방에서 쉬는 중이리라. 짐 정리도 끝나서 혼자 공용 목욕탕으로 가려던 그때, 아이가 셋이서 같이 가자고 제안해 왔던 것이었다.

“그치만 우리 세 사람이 여태껏 같이 목욕해 본 적이 없었잖아. 앞으로는 이런 기회가 없을지도 모르니까, 그럼 이번이 셋이서 목욕할 처음이자 마지막 기회라고 할 수 있어! 그러니까 다 같이 목욕하자!”

“합숙이기 때문이라고 말했던 건 어디로 간 거야.”

“앗……. 그건 말이지, 합숙은 다들 모여서 같이 행동하잖아. 그러니까 목욕도 같이 하는 게 합숙 중에는 당연한 일이라고 말하고 싶었던 거야!”

“그 이유, 방금 떠올린 거잖아.”

“어쨌든 같이 목욕하자! 그편이 틀림없이 즐거운 추억이 될 거라니까!”

아무래도 아이는 자신의 생각을 기세로 밀어붙일 작정인 듯했다.

“세토, 너는 괜찮은 거야? 이대로 있다간 이 녀석이랑 같이 목욕
하게 될 거라고.”

“그게 추억이 되는 거라면 상관없어. 게다가 아이 선배는 편의점
한정 말차 도라야키를 사 줬어.”

“뒤에 말한 이유가 전부겠지…….”

내가 보지 못한 곳에서 세토가 아이에게 도라야키로 매수당한 모
양이다.

“봐, 남은 건 케이뿐이야!”

의지를 꺾을 마음이 없는 아이에게 여기서 더 저항해 봤자 소용없
을 거라는 생각만 들었다.

“……이상한 짓을 했다간 바로 목욕탕 밖으로 나갈 거니까.”

“오케이! 그럼 준비가 끝나는 대로 출발하자! 가자, 자식들아!”

늘 겪는 일이지만 이 언니에게는 대체 어디에서 기운이 공급되고
있는 건지 모르겠다.

“후~, 넓고 좋은 목욕탕이네! 온도도 딱 좋아!”

방을 나온 지 대략 30분 뒤, 우리들 세 사람은 공용 목욕탕에 있는
넓은 욕조에 몸을 담그고 있었다. 우리들 말고는 손님이 없어서, 공
용 목욕탕은 실질적으로 대관된 상태나 마찬가지였다.

“그래서 셋이서 목욕탕에 들어왔는데 어떡할 거야. 이걸로 끝이
야?”

“으~ 음. 개인적으로는 모처럼 다른 손님들도 없겠다, 좀 더 왁자

지껄하게 놀고 싶긴 한데……."

"마음대로 하든가."

"케이는 정말 매정하구나."

"너를 다정하게 대할 필요가 없잖아."

"아니지, 나를 다정하게 대해 주면 나중에 분명 좋은 일이 생길걸!"

"근거도 없이 단언하지 마."

아이와 시간 낭비에 불과한 대화를 주고받고 있는데 세토가 아이를 쳐다보는 것이 눈에 들어왔다.

"세토, 왜 그래? 조용히 목욕하고 싶으면 저 녀석이 입을 열지 못하게 도와줘."

"아냐. 그런 게 아냐."

"그럼 왜 아이를 보고 있었어?"

"나, 하고 싶은 게 있어."

"미오짱이 스스로 그런 말을 하다니 신기하네. 하고 싶은 걸 말해 봐."

"사랑 얘기를 하고 싶어."

"여기까지 와서 사랑 얘기를 할 셈이냐고. 사랑 얘기라면 학교에서 혼도랑 하고 있잖아."

뭐, 두 사람이 사랑 얘기를 하고 있을 때 나는 옆에서 자는 척을 하며 듣고 있었지만.

"확실히 혼도와 나누는 사랑 얘기는 공부가 돼. 그래도 나는 아이 선배랑 시미즈와도 사랑 얘기를 나누고 싶어."

세토의 표정에는 변화가 보이지 않았지만, 기분 탓인지 몰라도 목소리가 평소보다 진중한 느낌이 들었다.

"좋아."

"어?"

"왜 세토가 놀라는 건데."

"그야 저번에 신경이 쓰이는 사람…… 마츠오카 얘기를 하려고 했을 때는 말을 돌렸으니까."

"그때의 미오짱은 지금보다 사랑에 대해 잘 몰랐으니까, 내가 말하는 걸 곧이곧대로 전부 받아들였을 거잖아?"

"……그럴지도. 그럼 지금은 괜찮은 거야?"

"다이키와 사랑 얘기를 나눈 덕에 미오짱도 사랑이 어떤 건지 스스로 고민해 볼 수 있게 됐다고 생각해. 지금의 성장한 미오짱이라면 내 말에 휩쓸리지 않고 사랑 얘기를 나눌 수 있겠지!"

아이는 아이 나름대로 세토에 대해 제대로 고민하고 있었던 모양이다.

"그렇게 됐으니 프리티걸 삼총사끼리 사랑 얘기를 시작해 볼까요!"

"왜 당연하다는 듯이 나까지 참가시키는 거야."

"그야 미오짱은 케이를 포함한 셋이서 사랑 얘기를 나누고 싶다고 말했는걸? 케이도 참가하는 게 당연하지!"

"사랑 얘기는 사람이 둘만 있어도 할 수 있잖아. 나는 무시하고 둘이서 얘기해."

“시미즈는 나랑 사랑 얘기 하고 싶지 않아?”

세토가 똑바로 내 쪽을 바라본다.

“너는 나랑 사랑 얘기를 하고 싶냐고.”

“하고 싶어. 시미즈가 혼도를 어떻게 생각하는지 시미즈의 입으로 직접 듣고 싶어.”

“꼭 혼도 얘기를 할 거라는 보장은 없잖아!”

“아닐걸, 케이가 사랑 얘기를 하면 100퍼센트 확률로 다이키가 나올걸.”

“맞아, 시미즈의 사랑 얘기에는 혼도가 반드시 등장할 거야.”

왜 이 두 사람은 얘기를 시작하기 전부터 확신하고 있는 걸까.

“됐으니까 케이도 사랑 얘기 하자!”

“우리 셋이서 사랑 얘기를 하면 틀림없이 즐거울 거야.”

여기서 거절해 봤자 방으로 돌아간 뒤에 또 두 사람에게 같은 제안을 받을 것 같다.

“……어쩔 수 없으니까 같이 사랑 얘기를 해 줄게. 재미없어도 책임 안 질 거니까 나중에 뭐라고 하지 마.”

“야호!”

“고마워, 시미즈.”

“그래서 주제는 뭐로 할 거야? 나는 생각할 마음 없어.”

“미오짱은 뭔가 얘기하고 싶은 게 정해져 있어?”

세토는 몇 초 정도 고민하는 기색을 보이더니 입을 열었다.

“낮에 있었던 베스트 커플 콘테스트 때 두 사람이 무슨 생각을 했는지 물어보고 싶어."

"오, 좋네!"

"상관은 없는데 너는 무슨 얘기를 할 거야?"

"나는 주로 진행자 역할. 두 사람이 나한테 묻고 싶은 게 있으면 거기에도 대답할게."

"뭐, 네가 그래도 괜찮다면 상관없지만."

본인이 자진해서 진행자 역할을 맡겠다면 내가 할 말은 딱히 없었다.

"그럼 시작할게. 첫 번째 질문, 두 사람은 이번에 아주 잠깐이지만 신경이 쓰이는 사람과 유사 연인이 되어 봤는데 기분이 어땠어?"

"시작부터 만만치 않은 질문을 던지네, 미오짱."

나도 처음에는 좀 더 가벼운 질문으로 시작할 줄 알았다.

"아이 선배와 시미즈한테 하는 질문이니까 적당히 눈치 볼 필요는 없을 것 같았어."

"나는 기뻤어. 거짓말이라도 요스케와 연인이 될 수 있어서 뭐랄까, 소리를 지르고 싶어질 만큼 환희로 넘쳐흘렀지! 케이는 어땠어?"

"……딱히 별생각은 없었어."

"거짓말~. 진심은 어땠는데? 말해 봐, 우리 둘밖에 듣는 사람도 없으니까 괜찮아."

아이는 역시나 내가 적당히 둘러대는 얘기로는 납득하지 않을 모양이다.

"……나쁘지는 않았어."

"가슴이 콩닥거릴 만큼 기뻤다고 말하면 될 텐데!"

"아무도 그런 말 안 했거든!"

하나를 들으면 열을 안다고 하지만, 아이의 경우 나머지 아홉은 날조다.

"그래서 미오짱은?"

"나?"

"응, 미오짱은 만약에 슌야와 유사 연인이 되면 어떤 생각이 들 것 같아?"

어려운 질문이라는 느낌이 들었다. 연인이 되면 어떤 생각이 들 것 같냐는 질문만으로도 답변에 고민이 필요한데 유사, 즉, 진짜 연인이 아니라는 조건까지 붙었다. 세토는 어떻게 생각할까.

"……마츠오카가 무슨 생각을 하고 있는지 알고 싶을 것 같아."

"어째서?"

"마츠오카가 나와 연인인 척하는 걸 어떻게 여길지 궁금하니까."

"과연, 미오짱은 그렇게 생각하는구나…….."

비록 가짜라고 해도 세토와 연인이 된다면 마츠오카는 기쁜 나머지 대성통곡을 할 것 같다는 생각이 들었다.

"참고로 미오짱은 마츠오카와 유사 연인이 될 수 있다면 기쁠 것 같아?"

"……기쁠지는 모르겠지만 즐거울 것 같다고 생각해."

"마츠오카도 즐겁다고 생각해 주면 좋겠네."

"……응."

세토가 고개를 끄덕인다. 아이는 마츠오카의 마음을 세토에게 전할 생각은 없는 듯했다.

"진행자 역할로 돌아갈게. 사회자가 고백에 관해 질문했을 때 둘 다 상대방이 대신 답변했는데 어떤 생각이 들었어?"

확실히 아이 때는 요스케가 심플하게 고백했다고 대답했고, 나 때는 혼도가 벽치기로 고백했다고 대답했다.

"좋았어! 실제로 그런 고백이 있었던 것 같은 착각도 살짝 들었지 뭐야!"

"자신의 기억을 날조하지 마."

"실제로 고백받을 때도 그런 느낌으로 받고 싶어?"

저도 모르게 흠칫했다. 세토에게는 이미 내일 여름 축제 때 요스케가 아이에게 고백할 거라고 전달해 뒀다. 어쩌면 이번 사랑 얘기도 아이가 생각하는 이상적인 고백 시추에이션을 듣기 위해 하고 있는 걸까……. 나는 세토를 보았지만, 언제나처럼 표정에 변화가 없어서 무슨 생각을 하고 있는지 전혀 알 수 없었다.

"으음, 어려운 질문이네. 내 안에 이런 말을 듣고 싶다거나 이런 장소가 좋겠다는 생각은 별로 없거든."

"그럼 아무것도 원하는 게 없는 거야?"

"아니, 중시하는 건 있어!"

"그게 뭐야?"

"마음! 시미즈 아이라는 사람이 정말로 좋다는 게 전달되는 고백을 해 줬으면 좋겠어!"

"그렇구나……."

요스케에게 어떻게 설명해야 하나. 기합을 넣어서 고백하라고라도 말해 둬야 하나.

"시미즈는 고백 얘기를 듣고 어땠어?"

"내, 내 경우에는 실제로 있었던 일이었잖아."

"그렇구나. 그 말은, 케이, 이미 고백을 받았던 거야?"

"그건 네가 혼도한테 말하게 시켰잖아!"

"치잇, 기억하고 있었나……."

오히려 혼도가 누구의 지시도 없이 그런 말을 했다면 경악하는 것만으로는 끝나지 않았을 것이다.

"다음 질문. 시미즈, 혼도랑 허그했을 때 어땠어?"

"왜 이번엔 나를 저격하는 건데!"

"허그한 건 시미즈랑 혼도뿐이잖아. 그리고 아이 선배와 사카타 선배는 이미 많이 허그해 봤어."

"그렇게까지 자주 허그한 것도 아니고, 수영복 차림으로 허그는 거의 해 본 적이 없지만 말이지."

아이가 세토의 설명에 부연을 덧붙였다. 아이와 요스케의 경우에는 아이가 일방적으로 요스케를 허그하고 있는 것뿐이었다.

"그래서 어땠어, 다이키와의 허그는?"

"그건 그러니까……."

혼도와 껴안았던 순간을 떠올린다. 지금도 혼도와 맞닿았던 부분에 열기가 남아 있는 듯했다.

“그때 케이는 다이키와의 허그를 한껏 즐기고 있었지.”

“머, 멋대로 말하지 마.”

“그럼 어땠는데?”

“생각했던 것보다 몸이 단단하다든가 안심이 된다고 생각한 게다야.”

침묵이 공용 목욕탕을 감싼다. 아이와 세토 쪽을 확인하자 떨떠름하다고밖에 표현할 수 없는 눈으로 나를 쳐다보고 있었다.

“뭐, 뭐야, 너희들.”

“아니, 케이는 의외로 음흉하구나 싶어서.”

“뭐!”

이 언니가 무슨 소리를 하는 거야. 사람한테 해도 될 말과 아닌 말이 있지 않냐고.

“으, 음흉하긴 누가!”

“나도 시미즈는 음흉하다고 생각해.”

“너도 그쪽 편이냐고!”

그럴 리가 없다. 나는 절대 음흉하지 않을 터다. 하지만 2대 1이라 상황이 다소 불리했다. 나는 천천히 자리에서 일어섰다.

“애, 얘기는 이미 충분히 했으니까. 나는 이만 나가 볼게.”

“헐! 어깨도 슬슬 따끈해지려고 하고 이제부터가 진짜 시작인데!”

“언제까지 여기서 얘기할 셈이야. 그러다 열 때문에 쓰러진다. 나는 먼저 나가서 밖에서 바람을 쐬고 올 거야.”

“하는 수 없지. 상관은 없지만 벌써 밖이 제법 어두워졌으니까 조심해서 다녀와."

"날 몇 살이라고 생각하는 거야."

나는 목욕을 마치고 탈의실로 걸음을 옮겼다.

※ ※ ※

'큰일인데, 잠이 안 와.'

불 꺼진 어둑한 방 안에서 나는 완전히 잠을 깨고 말았다.

요스케 씨에게로 시선을 보낸다. 어지간히도 피곤했는지 잠자리에 들고 나서 10분도 채 지나지 않아 요스케 씨는 조용한 숨소리를 내며 자기 시작했다.

『내일, 아이한테 고백할 거니까 여름 축제 때 나랑 아이를 어떻게든 둘만 남게 해 줬으면 좋겠어.』

조금 전 요스케 씨가 한 발언이 머릿속에서 재생된다. 설마 합숙 중에 고백할 생각이었을 줄은 꿈에도 몰랐기에 진심으로 놀랐다. 요스케 씨가 말하기를, 사전에 말해 버리면 아이 씨에게 들킬까 봐 직전이 되어서야 얘기했다고 한다.

'그나저나 고백이라…….'

가슴의 두근거림이 가라앉지 않는다. 이대로 가다간 잠을 이루지 못해 내일 일정에 지장을 초래할 것이었다. 나는 머리를 식히기 위해서 밖으로 나가기로 했다.

밖으로 나오자 밤하늘에는 헤아릴 수 없을 만큼 수많은 별들이 반짝이고 있었다. 그런 밤하늘로 시선을 보내고 있는데 어디선가 두 사람의 목소리가 들려왔다. 심지어 그중 한쪽은 목소리가 귀에 익었다. 나는 소리가 나는 쪽으로 서둘러 향했다.

"……라고!"

"……잖아!"

가로등 아래에서 보인 것은 시미즈 씨와 모르는 남자였다. 이 거리에서는 왠지 말다툼을 하고 있는 것처럼 보이기도 했다. 머릿속에 섬광처럼 깨달음이 스쳤다. 시미즈 씨가 혹시 헌팅을 당하고 있는 건 아닐까. 나는 달려온 기세 그대로 두 사람 사이를 비집고 들어갔다.

"제 소중한 사람한테 무슨 용건이시죠?"

얼떨떨한 표정을 짓고 있는 남자를 힘껏 노려보았다.

"혼도, 여긴 어떻게. 그나저나 소중한 사람이라니……."

시미즈 씨에게로 눈길을 보낸다. 얼굴이 아주 살짝 붉은 것 같긴 해도 겉만 봐서는 별로 달라진 기색이 없다. 안심하며 다시 남자에게로 시선을 옮겼다. 그때, 남자가 어깨를 세차게 덥석 붙들었다. 반사적으로 쳐다본 남자의 얼굴은 어째서인지 안도하는 것처럼 보였다.

"살았다! 남친분, 여기가 어딘지 좀 가르쳐 주세요!"

"엥?"

“정말 감사했습니다! 이 은혜는 잊지 않을게요!”

결론부터 말하자면 남자의 목적은 시미즈 씨를 유혹하는 게 아니었다. 혼자 여행을 하던 도중에 길을 잃고 스마트폰 배터리까지 바닥나서, 어찌할 바를 모르던 찰나에 우연히 시미즈 씨를 만나 길을 물어보고 있었던 것이었다.

시미즈 씨도 알려 주고 싶은 마음은 굴뚝 같았지만, 스마트폰을 방에 놓고 온 데다 이 지역 지리에 해박하지 못해서 알려 주지 못해 난처해하고 있었다. 그런 상황에서 내가 나타난 것이다. 나는 스마트폰을 갖고 있었기에 어찌어찌 남자에게 길 안내를 해 줄 수 있었다.

“아뇨, 오히려 처음에 노려봐서 죄송했습니다.”

남자를 향해 고개를 숙인다.

“아니에요, 저도 여친과 모르는 남자가 얘기하고 있으면 그런 식으로 행동했을 건데요. 그러니까 신경 쓰지 마세요. 그럼, 저는 이만 가 볼게요! 여친분과 잘 지내세요!”

“그러니까 그건 오해예요……”

“포기해. 저 녀석, 남의 말을 듣지 않으니까.”

마지막까지 오해를 풀지 못한 채, 남자는 우리들 곁을 떠나갔다. 그리고 나와 시미즈 씨만이 이 자리에 남았던 것이었다.

“……가 버렸네.”

“시끄러운 녀석이었어.”

“하하하…….”

확실히 저 남자는 조금 활기차 보이긴 했다.

"시미즈 씨는 왜 밖에 있었어?"

"그냥 바람을 쐬러 나왔어. 그러는 너는 왜 밖으로 나온 거야."

요스케 씨는 시미즈 씨에게도 내일 아이 씨에게 고백할 거라는 사실을 얘기했다고 했다. 그러니 내가 밖으로 나온 이유를 말해도 문제는 없을 터였다.

"내일 여름 축제 때 있을 일을 생각하다가, 살짝 가슴이 두근거려서."

"요스케한테 들은 거야?"

"응. 그렇게 말해도 아까 막 들은 거지만."

"그럼 세토한테는 내가 아이가 없을 때 말했으니까, 아이 빼고는 내일 고백에 대해 전원 알고 있는 셈인가."

"그렇게 되겠네."

아이 씨를 제외한 전원이 협력자라면 여름 축제 때 요스케 씨와 아이 씨를 둘만 남겨 두는 것도 아마 그렇게까지 까다롭지는 않으리라.

"……내일 고백이 잘되면 좋겠다."

"요스케가 어이없는 짓만 안 하면 어떻게든 될걸."

"그럼 틀림없이 괜찮겠네."

거기서 대화가 끊기고 두 사람 사이에 침묵이 흘렀다. 먼저 입을 연 건 시미즈 씨였다.

"어이, 혼도."

“왜, 시미즈 씨?”

“너는 이제부터 어떡할 거야?”

“방으로 돌아갈까 조금 망설이고 있어. 시미즈 씨는?”

“아직 방으로 돌아갈 마음은 없어.”

“그럼 나도 시미즈 씨가 돌아가고 싶어질 때까지 같이 있어도 돼?”

괜찮을 거라고는 생각하지만, 낯선 지역에서 밤에 시미즈 씨를 혼자 두는 건 조금 걱정스러웠다.

“……마음대로 해.”

“고마워.”

시미즈 씨가 밤하늘로 눈길을 보냈기에, 나도 그쪽으로 시선을 옮겼다. 반짝이는 별들을 바라보던 중에, 시미즈 씨에게 하려다 잊어버린 말이 있었던 게 떠올랐다.

“시미즈 씨, 미안.”

“무슨 소리야?”

“결국 아까 그 사람이 나랑 시미즈 씨가 연인이라고 계속 오해하게 만들었으니까.”

길을 안내하는 도중에 몇 번이나 설명했지만, 남자는 끝까지 귀담아들어 주지 않았다.

“그 녀석은 사람 말을 안 듣는 녀석이었으니까 네 탓이 아니잖아.”

“그럴지도 모르지만, 나랑 연인으로 오해받은 게 불쾌하지 않았을까 싶어서.”

해수욕장에서 콘테스트에 참가했을 때도 주변 사람들에게 연인으로 오해받았을 게 분명하지만, 그때 시미즈 씨는 아이 씨와 승부를 겨룬다는 생각에 넘어갔을 터다.

"그건……."

잠시 기다려 봤지만 시미즈 씨의 입에서는 긍정의 말도 부정의 말도 나오지 않았다. 틀림없이 나를 상처 입히지 않으려고 마음을 써 준 거겠지.

조용히 별을 바라본다. 그 침묵을 깬 것은 시미즈 씨였다.

"아까도 그랬지만, 너도 좀 더 표현을 조심하는 게 좋겠어."

"가르쳐 줬으면 좋겠는데, 어떤 표현이 문제였어?"

시미즈 씨가 불쾌한 기분이 들었다면, 다음부터 그 말은 되도록 삼가고 싶었다.

"……모르는 거야?"

"미안. 모르니까 가르쳐 줘."

시미즈 씨의 눈을 바라본다. 몇 초 간의 침묵 뒤, 시미즈 씨가 겨우 입을 뗐다.

"너, 아까 나를 소중한 사람이라고 말했잖아. 아무에게나 그런 말을 하고 다니다간 나중에 크게 혼쭐날 일이 생길걸."

그러고 보니 시미즈 씨와 남자 사이를 가르고 들어갔을 때, 그렇게 말했던 기억이 난다. 그런데 시미즈 씨가 아주 조금 착각을 하고 있는 듯했다.

"그 부분은 아마 걱정 안 해도 될 거야."

“걱정 안 해도 되기는. 사람에 따라서는 착각할지도……”

“그런 뜻이 아니라, 나도 아무한테나 소중한 사람이라고 말하지는 않는다고.”

“뭐……!”

“잘 설명할 수는 없지만, 시미즈 씨는 나한테 다른 누구와도 달라. 내가 순간적으로 소중한 사람이라고 둘러댈 법한 사람은 시미즈 씨뿐이라고 생각해.”

순야나 세토 씨라면 친구, 요스케 씨나 아이 씨라면 선배, 키노라면 가족이라고 말하겠지. 역시 소중한 사람이라고 표현할 만한 사람은 시미즈 씨뿐이다. 다만 말해 버리고 나서 돌이켜보니, 내가 아주 대담한 말을 해 버린 것 같다는 생각이 들었다.

잠시 동안 시미즈 씨의 대답을 기다렸지만, 시미즈 씨는 아무런 얘기도 하려고 하지 않았다.

“시미즈 씨?”

“……이쪽을 보지 마.”

시미즈 씨는 명백하게 나를 외면하고 있었다.

“어째서?”

“어, 어째서고 자시고 보지 말라고!”

“아, 알았어.”

여기서 더 추궁하면 안 될 것 같은 기분이 든다. 그래서 나는 재차 밤하늘로 시선을 옮겼던 것이었다.

제6장 시미즈 씨와 인랑 게임

합숙 이틀째 아침, 우리들 천문부는 아침 식사를 마친 뒤 다 함께 복도를 걷고 있었다.

"조식 맛있었지! 그럼 저녁 때까지 거리를 산책하자. 어디부터 갈까?"

"아이, 그것 말인데…….."

"왜 그래, 요스케? 그렇게 어두운 얼굴을 하고?"

"나, 오늘 거리 산책은 조금 힘들 것 같아."

"흐엥?"

아이 씨는 장난감 총을 맞은 비둘기처럼 당황한 표정을 지었다.

"저기, 저도 낮 동안 계속 거리를 걷는 건 좀 힘들 것 같아요."

"나도 여름 축제 전까지는 되도록 안 움직이고 싶어."

"헐, 두 사람까지! 갑자기 왜 그래?"

"아파."

"어디 아픈 거야? 어디가 아픈데?"

아이 씨가 걱정스러운 표정을 짓고 있다.

"……온몸의 근육이 아파."

그 한마디를 들은 아이 씨는 안도한 표정을 지었다.

"뭐야, 근육통이었구나~. 뭐, 확실히 어제는 바다에서 심하게 놀

했으니까. 다이키랑 미오쨩도 그런 거야?”

“……네.”

세토 씨가 말없이 고개를 끄덕인다. 어제의 반동인지 온몸의 근육이 비명을 지르는 것처럼 느껴졌다.

“하필이면 전부 근육통이라니 너희들도 참.”

“하하…….”

쓴웃음밖에 지을 수 없었다. 내가 보기에는 어제 그렇게 많이 움직였는데도 피로한 기색이라곤 보이지 않는 시미즈 자매가 오히려 신기했다.

“그렇다면 어쩔 수 없지. 오늘 거리 산책은 중지하고 아무거나 실내에서 놀 수 있는 게임을 하자!”

“미안.”

“여기서 무리했다가 여름 축제 때 함께 즐기지 못하는 게 제일 가슴 아프니까. 좋았어, 그럼 준비를 마치고 남자 방에 집합하는 걸로! 요스케랑 다이키는 우리가 갈 때까지 방을 치워 둬!”

“알았어요.”

그리하여 우리들은 일단 각자의 방으로 돌아갔던 것이었다.

“생각해 봤는데 말이야. 인랑 게임을 하면서 놀지 않을래?”

“인랑 게임이요?”

약 20분 뒤, 나와 요스케 씨가 묵고 있는 방에 천문부 전원이 집합했다.

"그래, 전에 친구랑 해 봤는데 재밌길래, 이 멤버들로도 해 보고
싶었거든."

"나는 잘 모르는데, 인랑 게임은 어떤 게임이야?"

"그러고 보니 요스케랑은 해 본 적이 없었네. 그 밖에 또 모르는
사람 있어?"

"죄송해요. 몰라요."

"나도 자세히는 몰라."

"……얼른 설명해."

아무래도 아이 씨 말고는 인랑 게임에 대해 잘 모르는 모양이다.

"오케이. 다들 모르는 것 같으니까 되도록 알기 쉽게 설명할게.
인랑 게임은 간단히 말하면, 마을의 평화를 지키고 싶은 마을 사람
측과 마을 사람들을 잡아먹고 싶은 인랑 측으로 나뉘어서 저마다 승
리를 목표로 하는 게임이야."

"두 진영으로 나눠서 싸우는 거야?"

"맞아. 인랑 측의 승리 조건은 인랑의 숫자가 마을 사람 측 인원수
이상이 되는 거고, 마을 사람 측의 승리 조건은 모든 인랑을 추방하
는 거지."

"아까부터 궁금했는데 그 인랑이란 건 대체 뭐야?"

게임 이름의 일부가 될 정도이니 중요한 뭔가겠지만, 지금으로서
는 정체가 뭔지 나도 이해할 수 없었다.

"인랑은 인랑 게임의 직업 중 하나인데 그것도 나중에 설명할게.
우선은 인랑 게임의 대략적인 진행 방법에 대해서 얘기해 나갈 거

야. 먼저 직업 결정. 플레이어에게 각각의 직업이 랜덤하게 배정돼. 여기서 어느 진영에 속하는지도 결정되지."

"직업은 기본적으로는 진영별로 고정인가 보네."

"역시 요스케, 이해가 빨라! 직업이 정해지면 그다음에는 턴제로 게임을 진행하게 돼. 밤 턴으로 시작해서 아침 턴으로 이어지고, 다시 밤 턴으로 이어지면서 한쪽 진영이 이길 때까지 턴을 반복하는 느낌이랄까."

"일단 밤 턴에는 해당 직업의 능력을 쓸 수 있어. 예를 들어 인랑이면 마을 사람을 잡아먹어서 게임에서 탈락시키는 거지. 그리고 아침 턴에는 투표를 할 수 있는데, 그 투표에서 가장 많은 표를 획득한 사람이 추방되는 거야."

추방이라는 말은 아까 마을 사람 측 승리 조건을 얘기할 때도 나왔던 것 같다.

"마을 사람 측은 아침 턴에 투표로 인랑을 추방하고, 그에 대항하는 인랑 측은 밤 턴에 인랑의 능력으로 마을 사람 측 숫자를 줄여 나감으로써 승리를 목표로 하는 거구나."

"잘 이해했네. 다음으로 직업에 대해 설명할게. 인랑 게임에는 다양한 직업이 있지만 이번 인랑 게임에 등장할 직업은 네 개. 마을 사람 측은 마을 사람과 점술사, 인랑 측은 인랑과 광인이야. 각각의 직업에 관해 설명할게."

"알기 쉽게 부탁해."

"오케이! 먼저 마을 사람. 이 직업에는 능력이 없어. 열심히 투표

하자! 다음으로 점술사. 점술사는 밤 턴에 한 번 점을 칠 수 있는데 인랑이 아니면 백, 인랑이면 흑으로 판정돼. 인랑을 찾아낼 수 있는 직업이라서 책임이 막중하지! 힘내서 인랑을 발견하자!"

"과연, 그럼 인랑 측 직업은?"

"인랑은 아까도 조금 말했지만, 밤 턴에 누군가 한 명을 탈락시킬 수 있어. 이번에는 인원수가 적으니까 탈락시킬 수 있는 건 이틀째 밤부터로 할게. 광인은 인랑의 협력자야. 능력은 없지만 인랑이 아침 턴의 투표에서 선택당하지 않도록 잘 행동하자! 참고로 광인은 점술사의 점술에서는 백으로 판정되니까 주의해."

"광인은 어떤 식으로 인랑을 도우면 돼?"

확실히 능력이 없다면 광인은 아침 턴에 투표 말고는 할 수 있는 게 아무것도 없다고 볼 수 있었다.

"한 가지 예를 들자면, 점술사인 척할 수도 있어. 점술사가 둘이면 어느 쪽이 진짜인지 알 수 없어서 혼란스럽겠지?"

진짜 점술사가 인랑을 찾아내 흑이라고 말해도 광인이 연기하는 가짜 점술사가 다른 사람을 흑이라고 말하면, 나머지 사람들의 입장 에서는 어느 쪽이 진실을 말하고 있는지 알 수 없다는 뜻인가.

"뭐, 나머지는 직접 하면서 배워 나가자! 이번 인랑 게임은 마을 사람 둘, 점술사 한 명, 인랑 한 명, 광인 한 명으로 플레이할 거야. 이번 게임 진행에는 내 스마트폰에 설치돼 있는 인랑 게임 어플을 사용할게. 순서대로 내 폰을 넘겨줄 테니까 직업 확인 부탁해!"

그리하여 천문부원들에 의한 인랑 게임이 시작되었다.

몇 번인가 인랑 게임을 해 보고 알게 된 것은, 아이 씨는 인랑 측일 때 판을 혼란스럽게 만드는 능력이 탁월하고 요스케 씨는 모두의 의견을 통합해 인랑을 찾아내는 데 능하며 세토 씨는 타고난 포커페이스로 인랑일 때도 동요하지 않고 태연하게 잘 행동한다는 점이다.

"투표 결과, 가장 많은 표를 받은 사람은 케이 씨! 그리고 케이 씨는…… 인랑입니다!"

"어떻게 알아챈 거야!"

"그야 얼굴에 다 보인다고 할까……. 너무 초조해하는 티를 냈어."

시미즈 씨는 인랑일 때는 주변을 너무 경계해서 의심받고, 마을 사람 측일 때는 인랑 측 발언에 넘어가 인랑이 아닌 사람에게 투표해서 천문부 멤버들 중에서 승률이 가장 낮았다.

"아무튼, 다들 슬슬 규칙이나 직업별 플레이 방법에 대해 이해가 되기 시작했지? 그래서 다음 판부터는 패배한 진영이 벌칙을 받는 걸로 진행하려고 해!"

"어이, 그런 말은 못 들었다고!"

"그야 말하지 않았으니까. 그래도 게임은 리스크가 있는 편이 가슴 두근거리잖아! 아니면 케이는 지는 게 무서워?"

"아이 씨, 그런 식으로 말하면……."

시미즈 씨 쪽을 본다. 그 눈은 이미 투지로 불타오르고 있었다.

"그 승부, 받아 주지! 하지만 지고 나서 불평해 봤자 들어 주지 않을 거야!"

"오케이. 한 분 안내해 드리겠습니다. 다른 사람들도 괜찮은 거지?”

요스케 씨와 세토 씨에게로 시선을 옮긴다. 냉정히 생각해 보면, 이건 여름 축제 때 요스케 씨와 아이 씨를 둘만 남길 기회가 될 수 있지 않을까. 두 사람도 같은 생각을 했는지 말없이 고개를 끄덕였다.

“나는 괜찮아.”

“저도 괜찮아요.”

“나도 문제없어.”

“세 분 추가입니다! 좋았어, 그럼 시작해 볼까요! 벌칙이 있는 인랑 스타트!”

내 이번 직업은 마을 사람이었다. 그래서 밤 턴에 할 수 있는 일이 없어서 그대로 첫날 아침 턴을 맞이했다.

“그럼 아침 턴의 제한 시간은 여태까지와 동일한 5분으로 갈게! 스타트!”

“뭔가 보고하고 싶은 게 있는 사람은 손을 들어 줘.”

그러자 세 사람이 일제히 손을 들었다. 손을 든 사람은 요스케 씨, 아이 씨, 시미즈 씨였다.

“셋인가……. 누구 손을 내릴 사람은 없어?”

“나는 내리지 않을 거야.”

“내릴 생각 없어.”

“그렇구나. 나는 내릴게.”

"하?"

요스케 씨는 그렇게 말하며 정말로 손을 내렸다.

"요스케, 너 너무 수상하잖아. 뭘 하고 싶었던 거야?"

"두 사람이 손을 들면 광인이 손을 들기 어려워질 거라고 생각했거든. 그래서 손을 들었는데 효과는 없었던 것 같아."

"그럼 너는 마을 사람이야?"

"응, 수상한 행동을 해서 미안."

요스케 씨가 가볍게 고개를 숙였다.

"그럼 아이 선배와 시미즈는 자칭 점술사?"

"물론이죠! 빈틈없이 점을 쳤답니다!"

"자칭이 아니거든. 진짜로 점술사야. 제대로 점을 쳤어."

"시미즈 씨, 아이 씨, 점술의 결과를 가르쳐 주세요."

두 사람의 점괘를 듣지 않으면 판단을 내릴 재료가 없었다.

"왠지 열 받네……. 뭐 됐어, 혼도를 점쳐서 백이었어."

내 시점에서 보면 시미즈 씨가 가짜 점술사일 가능성은 아직 남아 있지만, 진짜 점술사일 가능성이 높아졌다.

"흐응, 다이키를 점쳤구나."

"뭐야! 왜 실실거리는 거야!"

"아무것도 아니랍니다. 참고로 저는 미오짱을 점쳐서 흑이 나왔습니다."

아이 씨에게서 중요한 정보가 제시되었다. 세토 씨가 인랑인가…….

"나는 인랑이 아냐. 아이 선배 수상해⋯⋯."

아이 씨 쪽을 바라보는 세토 씨는 역시나 평소와 다름없는 표정이었다.

"내가 진짜 점술사니까 아이의 점은 엉터리야!"

"케이 씨도 참, 지켜야 할 늑대를 들켜서 당황하셨나요?"

"아니라고!"

"아이, 도발하지 마. 그래도 두 사람의 점괘를 살펴보건대, 현시점에서는 세토가 인랑일 가능성이 가장 높은 것도 사실이야."

"그 말은?"

"아이가 진짜 점술사일 경우 세토는 확실히 인랑이야. 그리고 케이가 진짜 점술사일 경우에도 나와 아이와 세토 중 누군가가 인랑이니까, 세토가 3분의 1 확률로 인랑이지. 따라서 단순히 확률로만 따지면 세토가 인랑일 확률이 가장 높다고 할 수 있어."

"맞아, 그런 뜻이야!"

"너, 아까는 이해 못 했잖아."

"확률 계산은 공부했어!"

시미즈 자매의 대화는 일단 제쳐두고, 확실히 현시점에서 세토 씨가 인랑일 가능성이 가장 높은 건 틀림없는 듯하다.

"아무튼 아이는 진짜 점술사가 아냐!"

"그럼 케이는 누가 인랑이라고 생각해?"

"그건⋯⋯."

시미즈 씨와 눈이 마주친다. 어라, 시미즈 씨는 나를 인랑이 아니라고 말했던 것 맞지? 어째서인지 시미즈 씨의 뺨이 아주 살짝 빨개진 듯한 기분이 들었다.

"케이 씨, 시간이 없어요."

시미즈 씨의 시선이 내게서 떨어지더니, 어느 한 사람을 향했다.

"네가 인랑이야!"

"나?"

시미즈 씨의 시선 끝에 있는 사람은 아이 씨였다.

그 순간, 아이 씨의 스마트폰에서 회의 종료를 알리는 소리가 울려 퍼졌다.

"투표 타임! 인랑이라고 생각하는 사람에게 투표해 줘!"

아이 씨에게 스마트폰을 받아 각자 투표해 나간다. 전원의 투표가 끝나고 스마트폰은 다시 아이 씨 앞으로 돌아갔다.

"투표 결과 가장 많은 표를 받은 사람은…… 저~. 그리고 저는…….'

과연 아이 씨는 인랑인 걸까, 그렇지 않은 걸까.

"……인랑입니다. 어째서 이렇게 된 거지."

아이 씨는 정말로 충격을 받은 눈치였다. 어쩐지 시들시들해져 있다.

"그렇구나, 소용이 없었네……."

"일단 이번 판의 직업을 확인해 볼까. 인랑은 나, 광인이 요스케, 점술사가 미오, 마을 사람이 다이키와 미오짱 맞지?"

아이 씨를 제외한 전원이 고개를 끄덕였다.

"그럴 줄 알았어. 그래서 다음 질문인데, 다들 각각 누구에게 투표했어? 나는 미오짱."

"나도 세토야."

"당연히 아이지."

"저도 아이 씨예요."

"나도 아이 선배."

아이 씨가 3표에 세토 씨가 2표인가. 보아하니 아슬아슬한 승리였던 모양이다.

"한 표 차이였구나……. 나한테 투표한 사람은 왜 투표했던 거야?"

"처음에 수상하다고 생각한 건 세 사람이 손을 든 뒤에 사카타 선배가 손을 내렸을 때."

"엑, 그때부터 벌써!"

"사카타 선배가 자의로 판을 혼란스럽게 만들 행동을 하리라고는 생각하기 힘들어. 분명 광인으로 점술사인 척하려고 했는데, 인랑까지 손을 드는 바람에 당황해서 손을 내린 거라고 추측했어."

"그래서 인랑은 나나 케이 둘 중 하나라고 판단했던 거네."

"맞아. 그래서 그 뒤에 나를 인랑이라고 말한 아이 선배가 인랑이라고 생각했지."

세토 씨는 거기까지 생각하고 있었구나. 나는 요스케 씨가 수상하다고는 생각도 하지 못하고 있었다.

"그 추리 내용을 왜 투표 전에 털어놓지 않았어?"

"사카타 선배가 광인이라고 해도 믿어 줄지 의심스러웠고, 애초에 말할 타이밍이 없었어. 아이 선배와 사카타 선배가 내가 반박하기 힘들도록 몰아갔다고 생각해."

"맞아. 세토가 되도록 얘기하지 못하게 하려고는 했어."

"쓸데없는 노력이 돼 버렸지만 말이지. 케이도 이유는 같아?"

모두의 시선이 시미즈 씨에게로 향했다.

"그, 그야 당연히 알고 있었지⋯⋯."

눈이 허공을 맴돌고 있다. 누가 어떻게 봐도 진위는 명백할 것이었다.

"케이 씨, 들켰습니다."

시미즈 씨와 다시 시선이 뒤얽혔다. 말없이 고개를 끄덕인다. 시미즈 씨는 상황을 파악한 눈치다.

"그래! 감이었어! 그래도 내 입장에선 아이가 수상쩍은 게 당연하잖아!"

"그건 그렇지만 말이지⋯⋯."

아이 씨도 약간 어이가 없는 듯했다.

"그러고 보니 다이키는? 다이키는 요스케의 얘기를 들어 줬으니까, 미오짱에게 투표할 줄 알았는데 말이야."

"중간까지는 그럴 생각이었는데요⋯⋯."

"어디서 마음이 바뀐 거야?"

"마지막으로 시미즈 씨가 아이 씨가 인랑이라고 말했을 때요."

"그건~ 케이가 궁한 나머지 대충 둘러댄 말이라는 생각은 안 했어?"

확실히 그럴 가능성도 실제로 있기는 했다.

"시미즈 씨가 거짓말을 하는 것처럼은 보이지 않았거든요. 게다가……."

"게다가?"

"시미즈 씨한테 속는 거면 그래도 상관없겠다고 생각했어요."

"뭐!"

자연히 소리가 난 쪽으로 시선이 갔다. 그곳에는 새빨개진 시미즈 씨가 있었다.

"……그렇구나. 나랑 요스케는 다이키의 빅 러브에 진 셈이네."

"비, 빅 러브는 무슨!"

"누구한테라고는 말 안 했거든?"

"너!"

시미즈 씨가 아이 씨를 부모의 원수라도 대하듯이 노려보았지만 효과는 전혀 없는 듯했다.

"어쨌든 진 건 진 거니까. 겸허하게 벌칙을 받아들이지 뭐!"

"살살 부탁해."

벌칙을 고민하는 시간으로 넘어간 모양이다. 그렇지, 이 조합이라면…….

"정했어!"

시미즈 씨가 눈을 이글거리며 아이 씨를 가리켰다. 시미즈 씨는 알고 있을까. 아주 살짝 걱정이 된다.

"여름 축제 때 요스케랑 같이 아무도 없는 곳으로 가서 사진을 찍어 와!"

다행이다, 요스케 씨와 아이 씨에게 둘만 있을 시간을 줘야 한다는 걸 제대로 기억하고 있었다.

시미즈 씨에게 벌칙의 내용을 들은 아이 씨는 순간 멍해졌다.

"엥, 그런 걸로 괜찮겠어? 나는 틀림없이 물구나무서서 숙소 주위를 열 바퀴 돌라고 말할 줄 알았는데……."

"나를 뭐라고 생각하는 거야."

"나야 좋긴 하지만, 미오짱과 다이키는 정말 그래도 되겠어?"

"네."

"나도 그걸로 만족해."

뭐, 아이 씨를 제외하면 다들 여름 축제 때 요스케 씨와 아이 씨를 둘만 있게 하고 싶다고 생각하고 있으니 반대할 사람은 없으리라.

"그럼 상관없나……. 좋았어, 요스케, 아무도 없는 곳으로 가서 심령사진을 찍자!"

"지정도 안 했는데 조건을 추가하지 말라고."

아이 씨는 조금 아쉬워하기는 해도 의심하는 기색은 없어 보였다. 그럭저럭 고백의 제 1관문은 돌파한 것 같다.

"그럼 벌칙도 정해졌겠다, 벌칙 인랑 2회전을 시작해 볼까요!"

"계속하려고……?"

"당연하지! 다시 내 폰을 건네 줄 테니까 직업 확인 부탁해!"

여기에서 입을 모아 벌칙 인랑을 그만두자고 말하면 아이 씨가 수상하게 여길지도 모른다.

다들 그렇게 생각한 건지는 몰라도, 벌칙 인랑에 대한 반대 의견은 딱히 없이 벌칙 인랑 2회전이 시작되려 하고 있었다.

"다들 직업 확인했지! 그럼 벌칙 인랑 2회전 스타트!"

"뭔가 보고하고 싶은 사람 있어?"

손을 든다. 이번 판의 내 직업은 광인이었다. 아까처럼 인랑과 동시에 손을 들까 봐 무서웠지만, 혹시라도 점술사만 나와서 인랑을 맞춰 버렸다간 게임이 끝나 버릴 것이었다.

주위를 둘러보자 손을 든 건 나를 제외하면 세토 씨뿐이었다.

"세토랑 혼도네. 어느 쪽이 먼저 말할래?"

"나부터 말할게."

"그다음에 얘기할게요."

나는 인랑이 누군지 모르기에 진짜 점술사인 세토 씨의 점괘를 먼저 듣는 편이 움직이기 쉬웠다. 주의 깊게 생각해 보지는 않았지만 조금 전에 아이 씨가 시미즈 씨에게 순서를 양보한 것도 그 때문이었을지도 모르겠다.

"알았어. 그럼 세토부터 부탁해."

"시미즈 씨를 점쳐서 흑이 나왔어."

"하?"

아, 끝난 것 같다.

"내, 내가 아냐!"

"진정해. 아직 너라고 정해진 게 아냐. 혼도의 얘기도 들어 보자."

어떡하지. 내가 가짜 점술사니까, 세토 씨는 진짜 점술사다. 그런 세토 씨가 한 말이니 시미즈 씨는 거의 확실히 인랑이었다. 여기서 어떻게든 상황을 수습하려면…….

"혼도?"

"……아이 씨를 점쳐서 흑이었어요!"

"뭐라고오!"

이대로 가다간 전 판과 흐름이 동일해져 버리기에 누군가를 흑이라고 지목할 필요가 있었다. 고민 끝에 나는 아이 씨를 인랑이라고 말하기로 결정했던 것이었다.

"곤란한데. 이러면…….."

"어이, 요스케! 나는 흑이 아냐!"

"나도 새하얘! 순백이거든!"

"……이렇게 되지. 아이와 세토는 케이에게, 케이와 혼도는 아이에게 투표할 테니까 결국은 내가 어느 쪽에 투표할 것인지의 문제가 돼."

설령 요스케 씨가 나나 세토 씨에게 표를 주더라도, 그렇게 되면 결선투표로 가게 될 테니 요스케 씨는 어쩔 수 없이 시미즈 씨나 아이 씨 둘 중 한쪽에 투표할 수밖에 없다.

"이렇게 되면 먼저 점괘로 흑이라고 말한 세토를 믿고 싶지만……."

"세토도 그 정도 거짓말이라면 할 수 있어!"

"맞아. 세토는 의외로 강철 심장이라서 그 정도는 표정 하나 바꾸지 않고 말해 버린단 말이지…….”

“부정은 하지 않겠어. 그러니까 마지막은 사카타 선배가 아이 선배와 시미즈 중 어느 쪽을 믿느냐에 달렸어.”

“모든 책임을 나한테 떠넘기지 말아 줘.”

“아니지, 이번 판의 모든 책임은 요스케에게 있어!”

“왜 네가 날 추궁하는 편에 서는 거야.”

아이 씨는 이번에 절대로 마을 사람일 텐데 수상쩍게 보이는 건 왜일까.

“어쨌든 나를 믿어, 요스케! 케이한테 투표해!”

“이런 녀석은 믿지 마! 아이한테 투표해!”

어째 천사와 악마의 속삭임처럼 전개되고 있다. 성가신 건 요스케 씨 입장에서는 어느 쪽이 천사고 악마인지 알 수 없다는 점이리라.

“정말로 어느 쪽인 거냐고…….”

요스케 씨가 괴로워하는 사이, 회의 종료를 알리는 소리가 울려 퍼졌다.

“종료! 투표 타임으로 들어갈게!”

아이 씨에게서 스마트폰을 받아 묵묵히 투표한다.

“투표 끝! 그럼 투표 결과를 발표할게.”

가슴이 두근거린다. 시미즈 씨와 아이 씨 중 어느 쪽이 뽑혔을까.

“투표 결과 가장 많이 표를 받은 사람은…… 케이! 그리고 케이는 인랑! 마을 사람 측의 승리입니다!”

소용이 없었던 모양이다. 그래도 요스케 씨는 마지막까지 고민하고 있었기에 조금 아쉽기는 했다.

"맞았구나. 정말 다행이야……."

요스케 씨는 진심으로 안도한 기색이었다.

"요스케, 나를 믿어 줬구나! 기뻐!"

"너, 너를 믿은 게 아냐. 세토가 먼저 흑이라고 말했으니까, 그걸 결정적인 증거로 삼았을 뿐이지."

"또 또 부끄러워하긴!"

아이 씨는 어쩐지 기뻐하는 듯했다. 불현듯 시미즈 씨에게로 시선을 돌렸다. 시미즈 씨는 벌레라도 씹은 것 같은 얼굴을 하고 있었다.

"요스케…… 나중에 두고 보자."

"잠깐 냉정해져. 내 잘못이 아니라고."

"맞아 맞아, 케이는 나랑 요스케의 빅 러브에 진 거야!"

아이 씨가 시미즈 씨를 향해 윙크를 날린다.

"불에 기름을 붓지 마."

"으으윽……."

표정만 봐서는 시미즈 씨는 정말로 분한 기색이었다.

"패배한 케이와 다이키에게는 벌칙을 내리겠습니다! 뭘 시킬까나……."

"앗."

나와 시미즈 씨의 목소리가 겹쳐졌다. 시미즈 씨도 벌칙이 있다는 걸 깜빡하고 있었던 모양이다.

"나는 안 봐줄 거거든?"

평소와 다름없이 웃고 있는데도 어째서인지 지금은 공포스럽게 느껴졌다.

"잠깐 벌칙용 아이템을 가져올 테니까 기다리고 있어."

아이 씨는 그렇게 말하고는 방을 나가 버렸다.

"어이, 요스케. 부탁을 들어줬으니까 어떻게든 수습해 봐!"

"그 빚은 반드시 나중에 갚겠지만 지금은 무리야. 저렇게 신이 난 아이를 말렸다간 그때는 내가 표적이 될 거야."

"세토!"

"사카타 선배와 같은 이유로 무리."

"둘 다 나중에 벌칙을 받게 되면 두고 보자!"

결국 아이 씨가 올 때까지 시미즈 씨는 요스케 씨와 세토 씨에게 꾸준히 도움을 요청했지만 번번이 거절당했다.

"이번 벌칙에 사용할 아이템은 이거!"

그렇게 말하며 아이 씨가 꺼낸 것은 막대 모양의 과자가 담겨 있는 상자였다.

"……뭐야, 그런 거였어?"

"엥, 반응이 시원찮네. 케이는 이 과자로 뭘 할 것 같아?"

"그건 그거잖아. 그…… 둘이서 서로 먹여 주라고 하겠지."

그거라면 전에도 타코야키로 비슷한 일을 해 봤으니, 가슴이야 두 근거리겠지만 문제는 없을 것이다.

"조금 달라. 정답은 이 과자를 양 끝에서 먹어 들어가는 것이었습
니다!"

"하? 뭐어~?"

시미즈 씨의 동요가 나에게도 전달되었다. 나도 입 밖으로는 내
뱉지 않았지만 매우 당황한 상태였다.

"이름하여 담력 시험 게임! 과자를 먼저 부러뜨린 사람은 또 벌칙
을 받을 거야."

"그런 게 어딨어!"

"원래는 아까 내가 졌을 때도 이 정도 벌칙을 받을 거라 각오하고
있었는데 말이지."

"이건 정말 아니라고!"

"왜?"

"그야 당연히 둘 다 부러뜨리지 않으면 키……."

시미즈 씨의 얼굴이 서서히 빨개지기 시작했다. 시미즈 씨의 말
대로 만약 둘 다 부러뜨리지 않는다면 입술과 입술이…….

"그럼 부러뜨리면 되는 거 아냐? 뭐, 케이는 겁쟁이니까 금세 부
러뜨리겠지."

"……놔."

"케이, 뭐라고? 목소리가 작아서 안 들리거든?"

"얼른 그 과자를 내놔! 바로 결판을 내 주지!"

아주 곤란하다. 이렇게 된 시미즈 씨는 아무도 말릴 수 없다.

아이 씨에게 과자를 받은 시미즈 씨가 그 끝을 입에 머금었다.

“응!”

너도 입에 물라는 뜻이겠지. 나는 과자의 다른 한쪽 끝을 머금었다.

“좋았어, 둘 다 준비는 됐겠지! 3분의 2 이상 먹지 않으면 다시 시작이야! 담력 시험 게임 스타트!”

시작되고 말았다. 방금 자연스럽게 규칙이 늘어났다고. 현재 나와 시미즈 씨는 평소에 얘기하던 때보다 훨씬 더 가까운 거리에 있었다. 그 거리는 막대 모양 과자 한 개 분량밖에 되지 않는다. 냉정해지려고 해도 시각에서 오는 정보의 대부분을 시미즈 씨가 차지해 버렸다. 시미즈 씨의 속눈썹이 이렇게 길었구나 라는 생각밖에 들지 않았다.

“어~ 이, 둘 다 그렇게 쳐다보기만 하지 말고. 게임은 이미 시작됐거든?”

그러고 보니 시미즈 씨와의 거리가 변하지 않고 있다. 시미즈 씨를 자세히 보자 여태까지와는 비교도 되지 않을 만큼 얼굴이 새빨개져 있었다. 보아하니 이성을 되찾고 창피해진 모양이다.

“둘 다 거기서 더 움직이지 않을 거면 벌칙을 추가해 버린다?”

아이 씨는 다음에 자신이 벌칙을 받을 미래를 고려하지 않는 눈치였다. 하지만 이대로 굳어 있다가 벌칙이 늘어나는 건 나에게도 시미즈 씨에게도 좋지 않다. 나는 천천히 시미즈 씨를 향해서, 입에 머금은 과자를 먹으며 전진하기 시작했다.

“응~.”

시미즈 씨가 놀라는 것이 전달됐다. 되도록 빨리 끝내는 편이 시미즈 씨의 부담도 적겠지. 나는 조금씩이긴 하지만 착실하게 과자를 먹으며 시미즈 씨 쪽으로 향했다.

"조금만 더 가면 절반! 힘내라, 힘내라!"

아직도 더 남았나. 솔직히 심장이 터질 것 같다. 시미즈 씨도 점점 눈이 풀리기 시작하는 게 한계가 다가온 듯했다.

"케이, 기다리기만 해도 되겠어?"

그 목소리가 들렸는지 시미즈 씨의 표정에 바짝 힘이 들어갔다. 그러더니 천천히 내 쪽으로 다가왔던 것이었다.

'시미즈 씨는 역시 대단하네.'

어째서 이 시점에 그런 생각을 한 건지는 모르겠다. 하지만 이 마음에 거짓이 없다는 것만은 확실했다.

두 사람이 천천히 과자를 먹어 나가자 거리가 서서히 줄어들기 시작했다. 남은 거리는 불과 몇 센티. 이제는 부러뜨려도 괜찮을 터다. 하지만 어째서인지 스스로 과자를 부러뜨릴 마음은 들지 않았다.

시미즈 씨도 똑바로 나를 쳐다보고 있다. 그러던 시미즈 씨가 갑자기 시야에서 사라졌다.

순간 뭐가 뭔지 알 수 없었지만, 보아하니 과자가 부러진 모양이었다.

"나는 안 부러뜨렸어!"

"저도 안 부러뜨렸어요."

"아무래도 멋대로 부러진 것 같네. 둘 다 부러뜨리진 않은 것 같으니까 벌칙 추가는 없는 걸로 하면 되겠지?"

새로운 벌칙은 없는 듯해 일단 안심했다. 그런데 좀 전의 나는 무슨 생각을 하고 있었던 걸까. 그대로 계속했다면 시미즈 씨와…….

"혼도, 얼굴이 빨개. 괜찮아?"

"응…….."

괜찮지 않은 것 같은 기분이 든다. 하지만 구체적으로 뭐가 문제인 건지는 지금의 나로서는 설명할 수 없었다.

“세 사람도 이제 슬슬 오겠네.”

합숙 이틀째 저녁, 나와 요스케 씨는 숙소 앞에서 천문부의 세 여성을 기다리고 있었다. 고백의 시간이 조금씩 다가오고 있어서일까, 요스케 씨는 평소에 비해 안절부절못하는 것처럼 보였다.

“요스케 씨, 괜찮으세요?”

“문제없어…… 라고 말하고 싶지만 긴장되는 건 확실해.”

요스케 씨가 미소를 지어 보였지만 그 미소는 어쩐지 부자연스러웠다.

“저는 고백 같은 건 해 본 적도 받은 적도 없지만, 무척 용기가 필요한 일이라고 생각해요. 그러니까 요스케 씨가 아이 씨에게 고백하려고 하는 것도 정말로 대단하다고 생각하고요.”

“훈도……. 고마워, 성공할지 어떨지는 모르겠지만 열심히 최선을 다해 볼게.”

“무엇에 최선을 다하는데?”

목소리가 난 쪽을 돌아보자 그곳에는 어느새 유카타로 갈아입은 아이 씨 일행이 서 있었다.

“너, 너어, 언제부터 여기에~!”

“그렇게 놀랄 것까진 없잖아. 방금 막 도착했어.”

“나랑 혼도의 얘기를 어디서부터 듣고 있었어?”

“엥? 열심히 최선을 다하겠다고 말했던 부분부터인데.”

안도했다. 아이 씨는 나와 요스케 씨가 나누고 있던 대화를 거의 듣지 못한 모양이었다.

“그보다 어때, 이 유카타?”

아이 씨가 요스케 씨 앞에서 빙그르르 돌아 보였다. 보아하니 수영복 때처럼 요스케 씨에게 칭찬을 받고 싶어 하는 눈치였다.

“……예뻐.”

“엥?”

“그 선명하게 꽃이 핀 흰색 유타카, 너랑 잘 어울려서 정말로 예쁘다고 생각해.”

요스케 씨는 아이 씨에게서 눈을 떼지 않은 채 확신 어린 말투로 유카타에 대한 소감을 말했다.

“호, 호오, 늘 괜찮네 라는 말밖에 안 하던 요스케 씨라고는 생각할 수 없을 만큼 제대로 된 소감이네요.”

아이 씨가 오히려 쩔쩔매고 있다. 좀처럼 보기 드문 광경이다. 요스케 씨와 아이 씨를 쳐다보고 있는데 소매를 잡아당기는 감촉이 느껴졌다. 시선을 옮기자 그곳에는 유카타로 갈아입은 시미즈 씨가 있었다.

“시미즈 씨, 그 유카타는…….”

“네가 입어 줬으면 좋겠다고 말했잖아…….”

다시 시미즈 씨의 전신을 확인한다. 길고 아름다운 머리카락을 뒤로 모아 묶고 그것과는 별개로 땋은 머리도 하고 있었다. 유카타는 나팔꽃 무늬가 들어간 남색 유카타로 전에 봤을 때 생각했던 대로 시미즈 씨에게 잘 어울렸다.

"가만히 있지 말고 무슨 말이라도 해."

"자, 잠깐만 기다려 줘."

바로 소감을 말하는 편이 좋다는 건 알지만, 내가 지금 하고 있는 생각을 남김없이 시미즈 씨에게 전달하고 싶었다.

"……그 유카타, 시미즈 씨한테 잘 어울려. 계속 쳐다보고 싶을 만큼 예뻐."

시미즈 씨의 움직임이 멈췄다. 그와 동시에 찰칵 하는 소리와 함께 뭔가가 빛났다. 빛이 난 쪽을 살펴보자 그곳에는 스마트폰으로 사진을 찍는 포즈를 취하고 있는 유카타 차림의 세토 씨가 있었다.

"어이 세토, 뭘 찍는 거야!"

"기념사진. 여행지의 추억은 많을수록 좋아."

"됐으니까 얼른 지워!"

"거절할게."

결국 그 투샷 사진은 천문부 내에서 공유되게 되었던 것이었다.

"생각했던 것보다 사람이 많네."

"떠들썩하네요!"

회장에 도착하자 그곳에는 이미 많은 사람들이 와서 저마다 축제를 즐기고 있는 것처럼 보였다.

"불꽃놀이까지는 아직 시간이 한참 남았으니까 그때까지 노점이라도 순서대로 구경해 볼까."

"그러게. 야키소바에 타코야키에 빙수, 그리고 솜사탕에 사과 사탕…… 상상만 해도 군침이 나올 것 같아!"

"아이 선배, 오방떡이랑 붕어빵을 까먹었어."

"너희들은 먹는 것밖에 머릿속에 없는 거냐고……."

아이 씨와 세토 씨에게 시미즈 씨가 싸늘한 시선을 보냈다.

"시미즈 씨는 기대하는 건 없어?"

"그런 건 없어."

"케이는 다이키만 근처에 있으면 그걸로 충분하니까 말이지!"

"아무도 그런 말 안 했거든!"

"그럼 아냐?"

"그건……."

시미즈 씨와 순간 눈이 마주쳤지만, 시미즈 씨는 금세 시선을 돌리고 말았다.

"그쯤 해 둬. 슬슬 가자."

"네~. 다들 일행을 놓치지 않게 조심해!"

"네가 제일 까불거리다가 미아가 될 것 같지만 말이지."

"이번엔 저걸 해 보자!"

그렇게 말한 아이 씨가 가리킨 것은 사격 노점이었다.

"오, 아가씨, 도전해 보려고? 귀여워도 특별 취급은 안 해 준다?"

사격 가게의 주인이 아이 씨에게 미소를 지으며 말을 걸어 왔다.

"한번 해 보죠! 다들 같이 하자!"

"하는 수 없지. 기왕 온 거 도전해 볼까."

"기다리는 것도 심심하니까 해 보지 뭐."

"봐주지 않겠어."

세토 씨가 어찌 된 영문인지 투지를 불태우고 있는 게 마음에 걸렸지만 보아하니 다들 할 생각인 모양이다.

"저도 해 보고 싶어요."

"결정이네! 아저씨, 사격 5인분 부탁해요!"

"오빠라고 말해 주면 기쁘겠어. 1회당 3백 엔이고 탄환은 총 다섯 발이야. 총은 두 개밖에 없으니까 순서대로 부탁해."

"오케이! 그럼 천문부 사격대회 개시!"

"거짓말이지……. 아가씨, 대체 정체가 뭐야?"

사격 가게 주인의 얼굴에서 미소가 사라졌다. 그 원인은 세토 씨가 가장 큰 프라모델 경품을 세 발 만에 차지했기 때문이다.

"별로 어려운 일은 아냐. 할머니라면 한 번에 맞출 수 있어."

세토 씨도 신경이 쓰이지만, 세토 씨의 할머니는 대체 어떤 사람일까?

"아직 두 발이 남아 있어. 다음엔 뭘 쏘면 돼?"

엄청난 실력의 저격수 같은 발언이다. 세토 씨에게 이런 특기가 있었을 줄이야.

“……항복이야. 부탁이니까 마음에 드는 경품을 하나 더 가져가는 걸로 합의해 주면 안 될까?”

“모듬 과자는 안 돼?”

“상관은 없지만 아가씨는 그걸로 괜찮겠어? 아가씨의 실력이라면 더 괜찮은 경품도 노릴 수 있을 텐데?”

“아까 맞춘 프라모델로 내 목적은 달성됐어. 그러니까 나머지는 다 함께 먹을 과자 정도로도 충분해.”

“알았어. 그럼 봉투에 과자를 담아 줄 테니까 가져가.”

사격 가게 주인은 그렇게 말하며 봉투 가득 과자를 담아 세토 씨에게 건넸다.

“고마워.”

“나야말로, 이걸로 끝내 줘서 고마워.”

“오빠! 과자 두 개를 맞췄어!”

세토 씨 옆에서 사격을 하고 있던 아이 씨가 소리를 질렀다. 보아하니 경품을 맞춰 떨어뜨린 모양이다. 주인이 떨어진 과자를 회수해 아이 씨에게 주었다.

“자, 경품이야. 아가씨도 실력이 좋네.”

“미오짱한테는 못 이기지만!”

“저 아가씨는 그냥 잘하는 정도가 아니라 차원이 다르니까.”

주인이 먼 산을 바라보듯 아련한 눈으로 말했다.

“그런데 미오짱은 왜 프라모델을 노린 거야? 프라모델에 관심 있어?”

초절기교 때문에 잊고 있었지만, 확실히 세토 씨는 왜 프라모델을 노린 걸까.

"……마츠오카가 전에 이 프라모델을 갖고 싶다고 말했던 것 같아서."

세토 씨가 그렇게 중얼거렸다. 자주 언급하지는 않지만 슌야는 자기 방에 프라모델을 몇 개인가 장식해 두고 있었다. 세토 씨는 슌야와 대화를 나누다가 그 얘기를 들었던 것이리라.

"아하, 슌야를 위해서였구나. 슌야가 기뻐하면 좋겠네!"

"……응."

고개를 끄덕이는 세토 씨는 평소보다 아주 약간 입 끝이 올라가 있는 것처럼 보였다.

"아가씨 둘은 끝났으니까 다음은 형씨들이 멋진 모습을 보여 줄래?"

"요스케, 미오짱처럼 슈퍼 테크닉을 보여 줘!"

"안 되는 걸 강요하지 마. 뭐, 할 수 있는 만큼은 해 볼까."

결과적으로 나와 요스케 씨는 둘 다 과자 한 개를 맞추는 데 성공해서, 무어라 말할 수 없는 기분을 느꼈다.

"뭐, 나쁘지는 않은 것 같은데?"

"좋지도 않지만 말이지!"

"주인분이 기껏 위로해 줬는데 다시 때리지 말라고."

"마지막은 긴 검은 머리 아가씨인가."

"응, 다섯 발 줘."

시미즈 씨는 그렇게 말하며 주인에게 돈을 건넸다.

"매번 고마워. 다섯 발 정확히 건네줬어."

시미즈 씨가 탄을 장전한 뒤 표적을 조준한다. 그렇게 쏘아진 탄환은 절묘하게 경품과 경품 사이를 통과했다.

"……케이, 참고로 어느 쪽을 노린 거야?"

"……시끄러워."

시미즈 씨가 다시 탄을 장전하고 표적을 조준했다. 쏘아진 탄환은 조금 전과 동일한 궤도를 그리며 노점 벽과 충돌했다.

"재현성이 있다고 봐야 할지 성장하지 않았다고 봐야 할지 미묘한 라인이네."

"시, 시끄러워! 가만히 보기나 해!"

세 발째도 네 발째도 결과는 거의 달라지지 않아서, 이 사격 가게 주위에만 침묵의 공간이 생성되고 있었다.

"……계속 이 상태로 놔두긴 불쌍하니까, 누가 마지막 한 발을 쏘기 전에 이 아가씨한테 쏘는 법을 가르쳐 줘도 허락할게."

"그럼 혼도가 적임이겠네."

"뭐?"

"엥, 아가씨가 가르쳐 주는 게 아니라?"

"나한테 시미즈를 교정하는 건 불가능해."

"하기 전부터 포기하지 말라고!"

"누구에게나 불가능한 일은 있어. 혼도, 시미즈한테 쏘는 법을 가르쳐 줘."

설마 나한테 돌아올 줄은 생각도 못 했다.

"시미즈 씨, 내가 가르쳐 줘도 될까?"

"……응."

시미즈 씨도 이대로는 안 된다고 생각하는 모양이다.

"다이키, 실제로 케이를 잡고 가르쳐 줘!"

"무슨 소리를 하는 거야!"

"그치만 설명만으로 케이를 가르치는 건 힘들 것 같단 말이야."

"괜찮겠어, 시미즈 씨?"

"이상한 데를 만졌다간 용서치 않을 테니까!"

총 쏘는 방법을 지도하는 것뿐인데 어디를 만질 거라고 생각하는 걸까. 뭐, 허락은 받았으니 다행이다.

"탄을 채우는 것까지는 문제없지. 다음은 총을 조준하는 방법인데 조금 더 겨드랑이를 조이고……."

뒤쪽에서 끌어안듯이 자세를 취하며 시미즈 씨가 총을 바로 잡도록 교정했다.

"……그렇구나."

"시미즈 씨?"

기분 탓인지 몰라도 눈이 게슴츠레해져 있다. 정신이 딴 데로 간 느낌이다.

"케이~, 안겨서 여행을 떠나고 있을 때가 아니거든~."

시미즈 씨의 눈에 빛이 돌아왔다. 보아하니 정신이 돌아온 모양이다.

"혼도, 계속해 줘."

"응, 그대로 경품에 조준하고 쏘는 느낌이려나."

설명을 마쳤기에 나는 시미즈 씨에게서 떨어졌다.

"……알았어."

"아가씨, 형씨가 떨어져서 아쉬운 건 알겠지만 총을 쏘는 데 집중하는 게 좋을 거야."

"쓸데없는 소리 하지 말라고!"

그렇게 말하며 쏘아진 탄환은 멋지게 조금 전과 다르지 않은 궤도를 그렸다.

"……슬슬 시간도 됐겠다 갈까."

노점을 둘러보느라 한 시간 정도가 지났을 무렵, 요스케 씨가 스마트폰으로 시간을 확인한 뒤 그렇게 중얼거렸다.

"엥? 어디로?"

아이 씨는 뭘 하기로 했는지 까먹은 눈치였다.

"벌칙으로 나랑 네가 아무도 없는 곳에 가서 사진을 찍어 오기로 약속했잖아."

"아! 완전히 잊고 있었어! 그래서 어디로 갈까?"

"알아봤더니 조금 걸어야 하지만 신사가 있는 것 같더라고. 거기 뒤편으로 가서 사진을 찍어 오자."

"오케이! 불꽃놀이를 구경할 시간이 점점 다가오고 있으니까 마하의 속도로 벌칙을 끝내자!"

"우린 적당히 노점을 돌아다니고 있을 테니까 얼른 다녀와."

"랴저! 요스케, 빨리 가자!"

"나막신에 익숙하지도 않고 사람도 많으니까 뛰려고 하지 마!"

"그럼 뛰지 않게 손을 잡고 있을래?"

"어쩔 수 없네……."

요스케 씨가 아이 씨의 손을 잡는다.

"후훗."

두 사람은 손을 잡은 채 서서히 우리들에게서 멀어져 갔다.

"좋았어, 슬슬 추적하자."

"알았어."

"엥?"

두 사람이 우리와 헤어지고 약 1분이 지난 뒤, 시미즈 씨가 믿을 수 없는 말을 입에 담았다.

"뭘 얼빠진 표정을 짓고 있어. 아이랑 요스케를 쫓아갈 거야."

"엥, 그치만 이제부터 요스케 씨가 아이 씨한테 고백할 건데?"

"그래서 쫓아가는 거. 우린 선배들의 고백을 지켜볼 책임이 있어."

"웬일로 의견이 일치했네, 세토. 뭐, 그런 거야. 폰으로 검색해 보면 근처에 무슨 신사가 있는지 바로 알 수 있잖아. 얼른 가자."

시미즈 씨는 그렇게 말하며 스마트폰을 한 손에 들고 두 사람이 나아간 방향으로 걷기 시작했다. 세토 씨도 그 뒤를 따른다. 시미즈 씨와 세토 씨는 내가 무슨 말을 해도 멈출 것 같지 않았다. 고민 끝에 나도 두 사람의 뒤를 따라가기로 했다.

"생각했던 것보다 머네."

"주변이 숲이라서 다행이야. 덕분에 숨을 곳이 많아."

'따라와 버렸는데 정말 괜찮은 걸까⋯⋯.'

10분쯤 걸었을까. 우리들 천문부 2학년 세 사람은 요스케 씨와 아이 씨를 미행하고 있었다. 적당히 거리를 두고 있었기에 두 사람은 눈치채지 못한 기색이었다.

"그러고 보니 전에도 이런 식으로 둘이서 밤에 숲속을 걸었던 적이 있었네!"

아이 씨가 요스케 씨에게 말을 거는 소리가 들려온다.

"그건 네가 숲속에 혼자 들어갔다가 그대로 날이 저물어서 미아가 될 뻔했기 때문이잖아⋯⋯."

"그랬었지⋯⋯. 그때는 불안하고 무서웠는데 요스케가 발견해 줘서 기뻤어."

"⋯⋯너는 늘 그런 식으로 금세 어딘가로 가 버리니까 걱정돼."

달빛밖에 광원이 없는 데다 거리도 멀어서 낯빛을 전혀 구분할 수 없지만, 요스케 씨는 분명 얼굴을 붉히고 있을 것 같은 느낌이 들었다. 얘기를 나누는 사이 두 사람은 신사에 도착했다.

"어떡하지? 신사 주변에는 숨을 곳이 적은데?"

"하는 수 없지, 시간은 걸리겠지만 주변 나무들에 숨으면서 천천히 추적하자. 내 뒤를 따라와. 그리고 손."

"손?"

“놓치지 않게 두 사람은 손을 잡고 있어.”

“왜 우리만 손을 잡아야 하는데!”

시미즈 씨가 작은 목소리로 세토 씨에게 항의했다.

“나는 프라모델 때문에 비는 손이 없어.”

세토 씨가 갖고 있는 사격 경품 프라모델은 크기가 커서, 세토 씨는 양손으로 들고 있었다.

“뒤늦게 말하려니 미안하긴 한데 내가 대신 들까?”

“괜찮아, 이건 내가 들고 있고 싶어. 여기서 일행을 놓치면 일이 귀찮아져. 그러니까 어서 손을 잡아.”

“시미즈 씨, 괜찮겠어?”

“……자.”

시미즈 씨가 나에게 손을 내밀어 주었다. 나는 시미즈 씨의 손을 놓지 않도록 꽉 잡았다.

“둘 다 나를 따라와.”

“응.”

“아아.”

우리들은 두 사람에게 들키지 않도록 세심한 주의를 기울이며 미행을 계속했다.

“오, 찾았다. 고백은 아직인 것 같네.”

세토 씨의 뒤를 따라가길 몇 분째, 우리들은 요스케 씨 일행보다 조금 늦게 신사 뒤편에 도착했다. 셋이 함께 나무 그늘에 숨으며 두 사람의 모습을 확인한다. 아이 씨와 요스케 씨는 같이 사진을 찍고 있던 참이었다. 아이 씨 옆에서 요스케 씨가 브이 사인을 하고 있다.

"자, 치즈!"

플래시가 터진다. 아이 씨가 스마트폰을 보았다. 사진이 잘 찍혔는지 확인하는 모양이다.

"잘 찍혔네. 미션 컴플리트도 했겠다, 모두가 있는 곳으로 돌아갈까!"

"……잠시만 기다려 줘."

"요스케?"

"너한테 하고 싶은 말이 있어."

그 목소리는 여태껏 들어 본 적이 없을 만큼 진지했다.

"엥, 왜 그러시죠, 요스케 씨? 그렇게 정색을 다 하고?"

"아이, 지금만은 제대로 들어 줘."

"……알았어."

아이 씨도 평소 때의 요스케 씨와는 분위기가 다르다는 걸 이해한 모양이다.

"고마워. ……이래저래 많이 고민했지만 내가 전하고 싶은 건 하나야. 아이!"

"아, 네!"

갑작스러운 큰소리에 놀랐는지 아이 씨의 대답이 전에 없이 당황한 것처럼 들렸다.

"예전부터 좋아했어! 나를 계속 네 옆에 있게 해 줬으면 좋겠어! 사귀어 줘!"

요스케 씨가 힘차게 고개를 숙이며 오른손을 앞으로 내밀었다.

아이 씨는 순간 넋이 나간 뒤, 작게 몸을 떨면서 천천히 양손으로 입가를 눌렀다.

"아이?"

요스케 씨가 머뭇거리며 조금씩 고개를 든다. 그 순간, 아이 씨가 엄청난 기세로 요스케 씨를 끌어안았다.

"나도 요스케를 좋아해! 지구에서, 아니, 우주에서 제일 요스케를 좋아해!"

요스케 씨가 아이 씨를 마주 끌어안았다. 마음이 놓였다. 보아하니 고백은 무사히 성공한 모양이다.

"……다행이다."

옆을 확인하자 그곳에는 부드럽게 미소를 짓고 있는 시미즈 씨가 있었다. 1년 이상 시미즈 씨와 같은 반에서 지냈지만, 이렇게 온화한 미소의 시미즈 씨는 본 적이 없었다. 두 사람이 잘된 것이 정말로 기뻤던 것이리라.

"여기까지 봤으니 안심해도 되겠어. 남은 건 두 사람보다 먼저 여름 축제 회장으로 돌아가는 것뿐이야."

"그러게."

그렇게 말하며 회장으로 돌아가려던 다음 순간, 시미즈 씨가 움직임과 동시에 밑에서 콰직 하고 뭔가가 부러지는 소리가 났다.

"앗."

아무래도 시미즈 씨가 발밑에 있던 나뭇가지를 밟아서 부러뜨린 듯했다.

"거기 누구 있어?"

소리를 들은 요스케 씨와 아이 씨가 우리들 쪽으로 다가왔다.

"도망가자!"

"나는 여기에 남겠어."

"어째서. 얼른 같이 도망가자."

"나는 근육통 때문에 빨리 뛸 수 없어. 그리고 짐이 커서 도망치기 어려워."

아까 사격으로 딴 경품 프라모델이 여기에서 방해가 될 줄이야.

"세토……."

"누군가 한 사람이라도 여기서 잡히면 선배들도 추적을 멈추겠지. 둘 다 어서 가."

"……알았어."

"미안, 세토."

"괜찮아. 한 번이라도 좋으니까 이런 역할을 해 보고 싶었거든."

나와 시미즈 씨는 세토 씨를 남기고 온 길을 서둘러 돌아갔다.

"하아……, 하아……, 이제 괜찮으려나?"

"……응, 여기까지 왔으면 더는 걱정 안 해도 되겠지."

얼마나 달렸을까. 우리들은 여름 축제 회장 근처로 돌아와 있었다.

"세토는 무사할까?"

"아이도 요스케도 세토한테라면 그렇게까지 심한 짓은 하지 않을 거야."

"그렇다면 좋겠지만. 어라, 시미즈 씨 안색이 나쁜데 괜찮아?"

가로등에 비친 시미즈 씨의 표정은 평소보다 더 험악해 보였다.

"……문제없어."

시미즈 씨는 그렇게 말하며 다시 걸음을 떼기 시작했다. 하지만 나는 그 걸음걸이에서 위화감을 느꼈다.

"시미즈 씨, 혹시 다리가 아파?"

익숙지 않은 나막신을 신고 조금 전까지 계속 뛰었으니, 시미즈 씨가 발을 다쳤다고 해도 무리는 아니었다.

"……이 정도는 괜찮아. 얼른 회장으로 돌아가자."

"안 돼. 다리 좀 보여 줘."

쪼그려 앉아 시미즈 씨의 다리를 확인하자 나막신 끈이 닿았던 부분이 새빨개져 있었다. 다행히 피는 나지 않았지만, 이 상태로는 무리는 금물이다.

"시미즈 씨 미안, 이렇게 되기 전에 알아채지 못해서."

"딱히 네 잘못은 아냐."

이런 상황에서조차 나를 배려해 주는 시미즈 씨는 정말로 다정한 사람이라고 생각한다.

"일단 어디든 쉴 수 있는 곳을 찾아볼게."

스마트폰으로 검색해 보자 이 근처에 작은 공원이 있다는 사실을 알 수 있었다.

“조금만 더 가면 공원이 있다니까 거기서 쉬자.”

“응.”

갈 때는 별로 유심히 보지 않았는데, 여름 축제 회장에서 신사로 가는 길 중간에 작은 공원이 있었고, 우리들은 그 근처까지 와 있었던 모양이다.

“자, 시미즈 씨.”

나는 시미즈 씨를 등지고 쪼그려 앉았다.

“뭐야.”

“공원까지 업고 갈 테니까 등에 업혀.”

“뭐! 피, 필요 없어!”

“안고 가는 게 좋아?”

“그런 뜻이 아니라고!”

“그럼 무슨 뜻인데?”

안기와 업기 외에 운반할 수 있는 방법이 더 있었던가? 어깨에 짊어지는 건 내 체격으로는 아무래도 힘들었다.

“너랑 나는 별로 키 차이가 없으니까, 네가 나를 업을 수 있을 리가 없다고!”

일리 있다는 생각도 들었지만, 시미즈 씨는 중요한 사실을 잊고 있었다.

“확실히 키는 시미즈 씨랑 크게 차이가 나지 않지만 나는 남자야. 시미즈 씨 정도는 얼마든지 업을 수 있어.”

체육 수업 외에 몸을 움직일 일은 그렇게까지 많지 않지만, 시미즈 씨 한 명도 업지 못할 만큼 빈약하지는 않았다.

"얼른, 괜찮으니까."

재차 시미즈 씨에게 등에 업히라고 재촉한다.

"……무겁다고 말하면 때릴 줄 알아."

그 목소리와 동시에 시미즈 씨의 손이 뒤에서 내 목으로 뻗어오며 등에 무게가 실리는 것이 느껴졌다. 나는 양팔로 시미즈 씨의 두 다리를 단단히 고정하며 천천히 일어섰다.

"시미즈 씨, 괜찮아?"

"응."

"그럼 출발할게."

나는 시미즈 씨를 등에 업고 공원을 향해 걸음을 뗐다.

아까 스마트폰으로 확인한 바에 따르면 공원은 그렇게까지 멀지는 않았지만, 시미즈 씨를 업고 가다 보니 아무래도 시간이 걸릴 듯했다.

"……귀찮아지면 언제든지 내려줘도 돼."

"귀찮다는 생각 안 해."

"이상한 녀석……."

등에 업고 있어서 시미즈 씨가 어떤 표정을 짓고 있는지는 모르겠다. 하지만 그간의 경험으로 미루어볼 때 그렇게까지 불쾌해하는 것 같지는 않았다.

천천히 공원으로 걸어간다. 가로등만이 우리를 비추고 있었다.

"시미즈 씨, 한 가지 묻고 싶은 게 있는데 괜찮아?"

“어.”

“이번 합숙은 재밌었어?”

“……이런저런 일들이 많았지만, 뭐, 나쁘지 않았어.”

“그렇다니 다행이네.”

내가 같이 가고 싶다고 부탁해서 오게 된 합숙이었기에, 시미즈 씨가 즐거워해 줘서 솔직히 기뻤다.

“너는 어땠어?”

“나?”

도로 질문을 받을 줄은 생각도 못 했다. 이번 합숙에 대해 시작부터 기억을 되짚어 봤다.

“과정도 포함해서 즐거웠어.”

“과정?”

“그래, 시미즈 씨랑 같이 아르바이트를 하고, 천문부 사람들과 모두 모여 합숙 계획을 짜고, 시미즈 씨랑 같이 유카타를 고르고, 그런 것들도 포함해서 오늘까지 정말로 즐거웠다고 생각해.”

“……그렇구나.”

나를 붙잡은 시미즈 씨의 힘이 아주 살짝 강해진 듯한 기분이 들었다.

“있잖아, 혼도.”

“왜, 시미즈 씨?”

“지금 우리들은 다른 모르는 녀석들 눈에 어떻게 보일 거라고 생각해?”

질문의 의도를 알 수 없었지만 고민해 봤다. 닮지 않았으니 남매로는 보이지 않겠지. 단순히 같은 반 친구나 동아리원이기엔 거리가 아주 조금 가까운 것 같기도 하다. 고민하는 사이 한 가지 관계성이 떠올랐다.

"모르는 사람의 눈에는 연인으로 보일지도 모르겠네."

그렇게 생각하면 이번 합숙에서 나와 시미즈 씨는 몇 번인가 연인으로 보일 만한 행동을 해 왔다. 베스트 커플 콘테스트에 나가거나 헌팅으로 오해해서 시미즈 씨가 모르는 남자와 얘기하고 있는 사이를 비집고 들어가거나.

그런 합숙의 추억들을 더듬어 가다, 시미즈 씨가 대답이 없다는 것을 깨달았다.

"어라, 시미즈 씨?"

"……싫지 않아?"

"뭐가?"

"그러니까 나랑 연인으로 보일 만한 일을 해서 싫지 않았냐고 말하는 거야!"

시미즈 씨는 그런 걱정을 하고 있었던 건가. 고민할 것까지도 없이 대답은 이미 정해져 있었다.

"싫지 않아. 시미즈 씨는 어떨지 모르겠지만, 나는 시미즈 씨랑 연인으로 오해당해도 싫다고는 생각하지 않아."

"……정말 아무한테나 다정한 녀석이네."

이유는 알 수 없지만 시미즈 씨는 내가 누구에게나 다정한 사람이라고 생각하는 모양이었다.

"나도 민폐로 느껴질 때는 민폐라고 말해. 그게 서로를 위하는 거라고 생각하니까. 시미즈 씨가 싫다고 생각하지 않는 건……."

말이 이어지지 않는다. 또다. 시미즈 씨를 특별하다고 생각하는 이유. 그게 도무지 입 밖으로 나오지 않았다.

"어쨌든 누구에게 들켜서 시미즈 씨와의 관계를 오해받는다고 해도, 나는 그걸 민폐라고는 생각하지 않으니까."

나를 붙잡은 시미즈 씨의 힘이 또 강해졌다.

"그런 너라서 나는……."

그다음 말은 들리지 않았다. 아마도 입 밖으로 내지 않은 것 같다.

"시미즈 씨?"

"아무것도 아냐. 똑바로 앞을 보고 있어."

"으, 응."

그 뒤 나와 시미즈 씨는 한마디도 주고받지 않고, 공원으로 이어진 길을 걸어갔다.

공원에는 몇 개인가 벤치가 놓여 있어서 나와 시미즈 씨는 그중한 벤치에 잠깐 사이를 두고 앉았다.

"방금 아이 씨한테 연락했어. 여름 축제 회장을 걷다가 조금 피곤해져서 쉬려고 근처 공원에 왔다고 말해 뒀어."

그렇게 하면 여기서 쉬고 있는 이유도 설명이 됐다. 세 사람도 조만간 여기로 오겠지.

그런 생각을 하고 있는데, 갑작스러운 굉음과 함께 하늘 높이 쏘아 올린 불꽃이 밤하늘을 비췄다. 보아하니 어느새 불꽃놀이 시작 시간이 된 모양이었다.

한 발, 두 발, 세 발, 형형색색의 불꽃이 선명하게 하늘에 꽃피고는 사라진다.

"예쁘다."

"그러게."

불현듯 시미즈 씨에게로 시선을 옮겼다. 불꽃이 시미즈 씨의 얼굴을 비추고 있다. 시미즈 씨는 아까처럼 부드러운 미소를 짓고 있었다.

"……정말로 예뻐."

"응."

시미즈 씨는 불꽃을 얘기한 거라고 생각하는 듯했다. 시미즈 씨가 내 쪽을 보지 않아서 다행이다. 봤다면 내 얼굴이 빨개진 걸 바로 들키고 말았을 테니까.

그런 생각을 하고 있는데 손에 뭔가가 닿는 감촉이 느껴졌다. 확인하자 그것은 시미즈 씨의 손가락이었다. 아무래도 시미즈 씨가 내 손을 잡으려고 하는 모양이었다.

"……어이, 혼도."

"왜 그래, 시미즈 씨?"

"내년에도 여기서 같이 불꽃을 구경하자."

"……응."

시미즈 씨의 손에 내 손을 휘감는다. 내년에도 시미즈 씨는 내 옆에 있어 주는 걸까. 그렇게 생각하자 말로 잘 표현할 수 없을 만큼 기뻤다.

『그 사람 옆에 계속 함께 있고 싶다는 생각이 드는 게 사람을 좋아하게 된다는 게 아닐까.』

『나를 계속 네 옆에 있게 해 줬으면 좋겠어!』

아이 씨와 요스케 씨의 말이 머릿속에서 재생된다. 나는 아직 사람을 좋아하게 된다는 것이 뭔지 잘 몰랐다. 하지만 옆에 있고 싶다고 생각하는 마음이 좋아한다는 것이라면 시미즈 씨를 향한 나의 마음도 역시 사랑이라고 볼 수 있지 않을까. 그렇게 생각했지만, 해답을 알려 줄 사람은 이 자리에 없었다.

"혼도, 왜 그래?"

아무런 얘기도 하지 않게 된 나를 걱정한 건지 시미즈 씨가 말을 걸어 주었다.

"괜찮아."

지금의 나는 언제나처럼 웃고 있을까. 아직 내 안에서는 이 문제에 대한 해답을 내지 못하고 있었다. 그저 합숙 전보다는 해답에 조금 더 다가갔다는, 그런 기분이 들었던 것이었다.

"합숙, 끝나 버렸네."

합숙 마지막 날, 우리들 천문부는 전철에 흔들리며 집으로 돌아가고 있었다. 연일 몸을 움직이는 바람에 피곤해졌는지 체력이 낮은 혼도와 요스케, 세토는 승차하기가 무섭게 깊은 잠에 빠져 있었다.

"이 정도면 실컷 놀았겠지."

"그건 그런데 말이야. 그래도 왠지 아쉽다고 할까……."

"뭐, 그 마음도 모르는 건 아니지만."

하나부터 계획해서 차근차근 진행해 온 이벤트가 끝나 버렸으니, 감상에 젖는 것도 이해는 된다.

"뭐, 아쉬움보다는 요스케와 연인이 됐다는 기쁨이 더 크긴 하지만 말이지!"

"갑자기 애인 자랑을 집어넣지 말라고."

"오늘 정도는 해도 되잖아요!"

"어제도 밤늦게까지 질리도록 말했잖아!"

어제는 숙소로 돌아오고 나서부터 요스케한테 고백을 받아서 엄청 기뻤다느니, 요스케가 고백하는 모습이 멋졌다느니 하는 얘기를 귀가 닳도록 들었던 것이다.

"그치만 정말로 기뻤으니까, 어쩔 수 없잖아!"

“……뭐, 됐어. 그래도 여름방학이 끝날 때까지는 흥분을 가라앉

혀 둬.”

“네에.”

괜찮으려나, 이 언니. 사방에 애인 자랑을 하는 건 아닐지 정말 걱

정된다.

“그러고 보니 말하는 걸 깜빡하고 있었어!”

“뭐를?”

“고마워, 케이.”

“웬 감사 인사야. 인사를 받을 만한 일은 안 했다고.”

“인랑 게임의 벌칙인 척, 요스케가 나한테 고백할 타이밍을 만들

어 준 게 케이잖아?”

역시 눈치챘나. 나중에 냉정히 돌이켜보니 둘만 남은 타이밍이

너무 절묘해서, 아이가 부자연스러움을 느끼는 것도 당연하다는 생

각이 들었다.

“너랑 요스케한테 빚을 지워 두고 싶었을 뿐이야.”

“아이참, 케이는 정말 솔직하지 못하다니까!”

“멋대로 말해라.”

“아무튼 케이랑 다이키 사이를 응원할 이유가 또 생겨 버렸네.”

혼도의 이름을 듣자 간밤의 일이 떠올랐다. 저 녀석이 내 손을 마

주 잡아 줘서…….

“어라, 그 표정, 내가 모르는 곳에서 케이도 무슨 일이 있었나 보

네.”

"……아이, 나는 결심했어."

"무슨 결의 표명이야?"

"너랑 요스케를 보고 깨달았어. 혼도와의 관계를 진전시키려면 내가 먼저 적극적으로 움직여야 한다는 걸. 그래서…… 앞으로는 더 적극적으로 나서려고."

내 말을 듣고 아이 씨의 표정이 진지해졌다.

"요스케가 고백했다고 해서 케이까지 서두를 필요는 없지 않아?"

"확실히 요스케한테 영향을 받긴 했지만, 나도 스스로 생각해서 결정한 거야. 혼도가 언제까지 내 옆에 있어 줄지는 알 수 없어. 하지만 나는 혼도의 옆을 누군가에게 양보하고 싶지 않아. 그러니까……혼도가 나를 좋아하게 되도록 최선을 다할 거야."

"……알았어. 그렇게까지 말한다면 나도 이전보다 더 응원할게!"

옆자리에서 자고 있는 혼도를 똑바로 쳐다본다.

"각오해 둬."

나는 자고 있는 혼도를 향해 선전포고를 했던 것이었다.

"그래서 나한테 부탁하고 싶은 일이라는 게 뭐야?"

천문부 여름 합숙 이후로 며칠이 지난 뒤, 나는 한 가지 고민을 해결하기 위해 혼도에게 전화를 걸었다.

"마츠오카한테 어떤 물건을 건네줬으면 해."

"뭘 건네주면 돼?"

"프라모델."

"프라모델? 아, 설마 세토가 사격으로 딴 그걸 말하는 거야?"

"맞아."

나는 며칠 전 여름 축제 때 사격으로 프라모델 경품을 손에 넣었다. 그때는 별로 깊게 고민하지 않아서, 나중에 마츠오카에게 건네주면 기뻐하겠지 라는 생각 정도만 하고 있었다. 하지만 합숙을 마치고 돌아온 뒤부터 이 프라모델을 대체 어디에서 건네주어야 할지 의문이 생기기 시작했다.

"세토가 학교에서 슌야한테 직접 건네주면 안 되는 거야?"

"혼도도 실물을 봤으니 알겠지만 내가 딴 프라모델은 제법 커. 그래서 학교에 가져가면 내용물이 보이지 않는 봉투에 넣어서 간다고 해도, 눈에 띄어 압수당할 가능성이 높아."

"확실히 세토가 딴 프라모델은 크기가 컸지."

"게다가 지금은 여름방학이라 다음에 학교에서 마츠오카를 만나
는 건 한참 나중의 일이 될 거야."

"그럼 학교에서 건네는 건 조금 무리일 것 같네."

혼도도 납득해 주었기에 얘기를 진행할 수 있었다.

"그래서 마츠오카한테 어떡해야 프라모델을 건넬 수 있을지 고민
하다 생각난 게 혼도였어."

"그랬어?"

"응. 나와 마츠오카의 공통 친구면서, 내가 개인적으로 연락할 수
있는 사람은 혼도밖에 없어."

"아하, 그래서 나한테 전화를 걸었구나."

"그런 이유로 혼도한테 프라모델을 보낼 테니까, 마츠오카랑 만
날 때 프라모델을 건네줬으면 해."

"으음, 잠깐만 기다려 줘."

혼도는 뭔가 고민하는 듯했다.

"내가 민폐를 끼쳤어?"

"안 그래. 단지 정말로 내가 슌야한테 건네줘도 괜찮은 건가 싶어
서."

"무슨 뜻이야?"

"이건 어디까지나 가정인데 세토가 슌야한테 뭔가 선물을 받는다
고 치면, 슌야 본인에게 받는 것과 나를 통해 받는 것 중 어느 쪽이
더 기쁠 것 같아?"

일단 고민해 본다. 마츠오카가 나에게 뭔가를, 만약 준다고 한다

면…….

"……마츠오카가 직접 주는 편이 기쁠 것 같아."

"그렇겠지. 슌야도 그럴 거라고 생각해. 내가 건네주는 것보다는 세토한테 건네받는 편이 훨씬 기쁘지 않으려나."

과연 그럴까. 하지만 마츠오카를 잘 아는 혼도가 하는 말이니 그럴지도 모르겠다.

"……알았어. 내가 마츠오카한테 직접 프라모델을 건네주기로 할게."

"응, 그게 낫다고 생각해."

기분 탓인지 혼도의 목소리가 평소보다 더 다정하게 들렸다.

"하지만 그렇게 되면 새로운 문제가 발생해."

"어떤?"

"마츠오카랑 학교 밖에서 만나지 않아서 건네줄 기회가 없어."

애초에 마츠오카와 학교 밖에서 만날 일이 없다. 딱히 일부러 안 만나는 건 아니다. 나도 미츠오카도 놀러 가는 데 서로를 초대할 일이 없기에 만나지 않는 것뿐이다.

"그렇구나, 왠지 모르게 세토와 슌야는 학교 밖에서도 만나서 놀고 있을 거라고 생각했어."

"어떡하지……."

"세토가 먼저 슌야랑 같이 놀자고 해서 놀고 집으로 가는 길에 건네주는 건 어때?"

"같이 놀자고 한 적이 없어서, 갑자기 그러면 마츠오카가 어떻게 생각할지 모르겠어."

"슌야니까 세토가 같이 놀자고 하면 싫다는 생각은 하지 않을 것 같은데."

"그래?"

"응, 그러니까 세토만 괜찮으면 놀러 가자고 말해 봤으면 좋겠어."

나 혼자 고민했다면, 마츠오카와 둘이서 놀고 돌아가는 길에 프라모델을 건넨다는 발상은 나오지 않았을 것이다. 역시 혼도에게 의논해 보길 잘했다.

"고마워, 혼도. 마츠오카한테 같이 놀자고 말해 보는 방법을 제안해 줘서."

"도움이 됐다면 다행이야. 세토가 만나자고 하면 슌야도 기뻐할 거라고 생각해."

"마츠오카에 대해서 또 궁금한 게 생기면 물어봐도 돼?"

"슌야에 대해 전부 알고 있는 건 아니지만, 내가 아는 범위에서라면 또 가르쳐 줄게. 그럼, 다시 곤란한 일이 생기면 전화해."

"응, 고마워. 또 봐."

전화를 끊는다. 나는 그 기세를 몰아 마츠오카에게 전화했다. 10초 정도 연결음이 계속되다가 전화를 끊으려던 그때 스마트폰에서 마츠오카의 목소리가 들렸다.

"여보세요, 세토?"

"세토 맞아. 다행이다, 전화를 안 받을 줄 알았어."

"그게, 전화가 온 건 바로 알았는데, 세토한테 전화가 왔다는 게 믿어지지 않아서."

무슨 뜻일까. 나도 용건만 있으면 전화 정도는 걸 수 있는데.

"마츠오카, 지금 시간 돼?"

"당연하지! 설령 안 된다고 해도 되게 만들 거야!"

"그때는 안 된다고 말해 줘."

마츠오카는 가끔 오버 액션을 할 때가 있다.

"그래서 나한테는 무슨 용건으로 전화했어? 설마 잘못 건 건 아니지?"

"잘못 걸지 않았어. 마츠오카가 시간에 여유가 있는 날을 묻고 싶어."

"어? 음, 잠깐만 기다려."

일정을 확인하는 중인지 마츠오카의 목소리가 잦아들었다.

"……가까운 날을 말하는 거면 이번 주 금요일이 현시점에선 아무 일정도 없는데."

이번 주 금요일인가. 그날이라면 나도 딱히 볼일은 없었을 터다.

"알았어. 마츠오카, 한 가지 부탁이 있어."

"부, 부탁~? 세토가 나한테~?"

마츠오카가 놀란 것이 목소리만 들어도 느껴졌다.

"내가 부탁하는 게 이상해?"

"이상하다고 할까 여태까지는 이런 적이 별로 없다 보니까. 딱히 싫은 건 전혀 아냐~. 오히려 부탁해 줘서 너무 기쁘다고 할지……."

말이 빨라서 알아들을 수 없는 부분도 있었지만, 일단 싫지는 않은 듯해서 마음이 놓였다.

"그럼 다행이네. 그래서 부탁 말인데, 괜찮으면 이번 주 금요일에 나를 만나 줬으면 해."

"……뭐?"

"안 들렸어? 이번 주 금요일에 나를 만나 줬으면 해."

"못 들은 게 아니라, 나한테만 너무 이득이 되는 내용이라 나도 모르게 귀를 의심했다고 할까……."

"나를 만나는 게 마츠오카에게 이득이 되는 일이야?"

"이득밖에 없지 않아?"

도로 질문을 해도 곤란하다.

"그래서 마츠오카는 어때? 역시 너무 갑자기는……."

"갈게요! 꼭 갈게요! 누가 뭐래도 반드시 갈 겁니다!"

음량에 깜짝 놀라 저도 모르게 스마트폰을 귀에서 잠깐 뗐다.

"정말로 괜찮은 거야?"

"당연하지! 오히려 세토한테 거절당할까 봐 걱정되는 수준인데!"

"내가 먼저 물어봤으니까 거절할 리가 없지."

생각했던 것보다 쉽게 만날 약속을 잡게 되어 안도했다.

"그래서 세토는 금요일에 뭘 하고 싶은지나 어디로 가고 싶은지는 정했어?"

"거기까지는 아직……."

이렇게까지 빨리 일이 진행될 줄은 상상도 못 했기에 아무런 계획도 세우지 못했다.

“그럼 같이 놀 장소는 내가 정해도 될까?”

“상관은 없지만 마츠오카도 동아리 활동 등으로 바쁘지 않아?”

“뭐, 동아리 연습이 있는 건 사실이지만, 지금은 그렇게까지 바쁘지 않으니까 문제없어!”

“그래?”

“응, 세토가 하고 싶은 일이나 가고 싶은 장소가 있으면 이참에 가르쳐 줄래?”

마츠오카의 질문에 하고 싶은 일과 가고 싶은 장소를 생각해 본다.

“어려워…….”

“하고 싶은 일이나 가고 싶은 장소가 없어?”

“나는 남자랑 단둘이 놀러 가 본 적이 없으니까 어떤 장소가 좋은지 모르겠어…….”

“크악!”

스마트폰 너머로 괴성이라고 할까, 인간에게서 나오지 않을 것 같은 목소리가 들려왔다.

“괜찮아, 마츠오카?”

“세토, 그거 반칙이야…….”

사실을 얘기했을 뿐인데, 뭔가 말하면 안 될 내용이 들어 있었던 모양이다.

“미안해?”

“처음부터 최선을 다할 생각이었지만, 이제는 더욱더 최선을 다할 필요가 생겼네."

"잘은 모르겠지만 그렇게까지 최선을 다하지 않아도 괜찮아."

"최선을 다하게 해 주세요, 부탁드립니다. 제가 여름방학 중에 가장 최선을 다해야 할 순간이 바로 지금이라고요."

목소리밖에 들리지 않았지만, 마츠오카의 강한 열의가 느껴졌다.

"알았어, 그래도 무리는 하지 말아 줬으면 해."

"고마워, 세토!"

"그리고 당연한 말일지도 모르겠지만, 나뿐만 아니라 마츠오카도 제대로 즐길 수 있었으면 좋겠어."

"오케이! 그럼, 구체적인 시간과 장소는 정해지면 내가 연락할 테니까!"

"부탁해, 그럼 금요일에 보자."

"응, 또 보자!"

전화를 끊는다. 힘이 풀렸다. 그제야 자신이 아주 약간 긴장하고 있었다는 사실을 깨달았다. 역시 여태껏 이성에게 같이 놀자고 말해 본 적이 없어서일까.

연속으로 두 사람과 통화를 하느라 목이 말라서 냉장고에 마실 것을 가지러 갔다가, 부엌에서 컵 아이스크림을 먹고 있던 어머니와 마주쳤다.

"덥다고 해서 아이스크림만 먹으면 배탈 나니까 적당히 먹어."

본인이 아이스크림을 먹고 있어서 별로 설득력이 없었다.

"보리차를 마시러 온 것뿐이야."

"그럼 다행이지만."

그렇지, 마츠오카와 놀러 가기로 한 걸 이참에 말해 두는 편이 나을지도 모르겠다.

"이번 주 금요일에 놀러 가."

"잘됐네. 누구랑 노는데?"

"마츠오카."

그 순간, 어머니가 들고 있던 스푼을 바닥에 떨어뜨렸다.

"엄마?"

"마츠오카라면 미오의 얘기에 가끔 등장하던 그 마츠오카?"

"맞아."

내가 아는 마츠오카는 마츠오카 슌야 한 사람밖에 없다.

"남자애지?"

"응."

"몇 명이랑 노는 건데?"

"두 명."

"미, 미오가 남자애랑 단둘이 놀러 간다고~."

미확인 생물이라도 발견한 것처럼 놀라고 있다. 이렇게까지 흥분한 어머니를 보는 건 오랜만일지도 모르겠다.

"후후후……."

"엄마? 괜찮아?"

"일이 재밌게 돌아가는데!"

어머니는 대체 어떻게 돼 버린 걸까. 여름의 더위 탓인가.

“미오! 내일 옷 사러 가자!”

“여름옷은 합숙을 떠나기 전에 샀어…….”

“그건 합숙용이잖아! 남자애랑 둘이서 놀러 가려면 또 다른 옷이 필요하다고!”

“잘 모르겠어…….”

“미오도 마츠오카한테 예쁘게 보이고 싶지?”

나는 마츠오카에게 예쁘게 보이고 싶은 걸까. 머릿속으로 생각해 본다…….

“……그런 것 같아.”

“그렇지? 화장하는 법도 나중에 자세히 알려 줄 테니까 기대하고 있어!”

기대하고 있는 쪽은 어머니 같은데. 옷을 사러 가거나 화장법을 배우는 사이 어느덧 시간이 흘러, 약속의 날이 되었다.

약속한 날 오후, 나는 만나기로 한 장소인 역 근처 카페로 걸음을 옮기고 있었다. 약속 시간까지는 아직 20분이 넘게 남아 있었다. 오늘은 내 쪽에서 마츠오카와 같이 놀고 싶다고 말했으니, 마츠오카보다 일찍 도착해서 기다리고 싶었다. 그런 것들을 생각하며 걷고 있자니 목적지인 카페에 도착했다. 나는 호흡을 가다듬은 뒤 카페의 문을 열었다.

“어서 오세요. 몇 분이신가요?”

“두 사람입니다.”

"……혹시 세토 님이신가요?"

"네?"

나는 아직 인원수밖에 말하지 않았다. 이 직원, 설마 초능력자는 아니겠지.

"마츠오카 님께 말씀 전해 들었습니다. 고등학생 정도 되는 귀여운 단발머리 손님이 오시면 세토 님인지 확인해 달라고요. 그래서 확인했는데 틀렸나요?"

이제 알겠다, 이 직원은 미리 마츠오카에게 내 정보를 얻었던 거였다. 그렇다는 건…….

"저는 세토예요. 마츠오카는 여기에 있나요?"

"네, 계십니다."

"……언제부터 와 있었는지 아시나요?"

"분명 지금으로부터 40분 이상 전에 이미 와 계셨습니다."

약속 시간보다 1시간 넘게 일찍부터 나를 기다리고 있었다니…… 놀라움을 감출 수 없었다.

"마츠오카가 있는 자리로 안내해 주실 수 있을까요?"

"네, 그럼 안내해 드리겠습니다."

나는 직원의 뒤를 따라 마츠오카가 있는 자리로 향했다.

"이 자리입니다."

"고맙습니다."

"별말씀을요, 그럼 편히 쉬십시오."

직원은 감사 인사를 한 뒤 돌아갔다. 마츠오카에게로 시선을 옮긴다. 마츠오카가 나를 알아차리지 못한 건 이어폰으로 음악을 들으며 책을 읽고 있기 때문이리라. 눈치채도록 가볍게 어깨를 두드릴지 고민했지만, 책을 읽는 마츠오카를 조금 더 관찰하고 싶어서 나는 조용히 마츠오카의 반대편 자리에 앉았다.

"엥?"

마츠오카가 나를 눈치챈 건 그로부터 약 5분 뒤였다. 끊기 좋은 대목까지 책을 다 읽었는지 책갈피를 끼우고는 손목시계를 확인하려던 때 나와 눈이 마주친 것이었다.

"눈치챘어?"

"세토, 언제 와 있었던 거야~. 그보다 약속 시간이 되려면 아직 한참 멀었을 텐데~?"

"그렇게 따지면 마츠오카는 만나기로 한 시간보다 1시간 이상 전에 와 있었잖아?"

"어떻게 그걸……. 아, 직원분이 말해 버렸나 보네. 미안, 세토."

"왜 사과해?"

마츠오카가 나에게 사과하는 이유를 알 수 없었다.

"세토가 일찍 와 줬는데 눈치채지 못해서……. 정말로 일생의 실수야……."

마츠오카가 낙담하고 있다. 이 일이 내가 생각했던 것보다 훨씬 마츠오카에게는 중요한 모양이다.

"그렇게 신경 쓰지 마. 마츠오카가 책을 진지하게 읽고 있길래, 내가 방해하고 싶지 않았을 뿐이니까."

“세토, 너무 천사잖아…….”

“그래서 어쩔 거야? 조금 더 여기에 있을 거야? 아니면 이동할 거야?”

“세토는 목 안 말라?”

“조금 마를지도.”

오늘은 날씨가 맑아서 비를 걱정할 필요가 없는 대신, 밖에 있으면 금세 목이 마를 만큼 더운 날이었다.

“그럼 여기에서 음료를 마시고 갈까. 세토가 시간에 맞게 왔어도 그럴 예정이었으니까.”

“알았어.”

그렇게 나와 마츠오카는 아이스 커피로 목을 축이고 카페를 뒤로 했다.

“그래서 마츠오카.”

“무슨 일인데, 세토?”

카페를 나온 지 10분이 지난 뒤, 나는 마츠오카와 함께 흔들리는 전철에 몸을 싣고 있었다.

“오늘은 어디로 가는 거야?”

마츠오카는 오늘 어디로 놀러 가는지에 대해서는 나에게 가르쳐 주지 않았다.

“그건 도착한 뒤의 즐거움으로 남겨 두면 안 될까?”

“상관은 없지만 즐길 수 있는 곳이야?”

"그건 보장할게. 세토라면 틀림없이 기뻐해 줄 거라고 생각해."

"……알았어. 즐거움은 간직해 두기로 할게."

"고마워, 세토. 다음 역에서 내릴 거니까 준비해 둬."

"응."

얘기하는 사이 전철이 서서히 정차했다. 나와 마츠오카는 전철에서 내려 역을 나와 목적지를 향해 둘이서 걷기 시작했다.

"그래서 아까 하려다 못한 얘기가 있었는데."

"뭔데?"

"먼저 이 말부터 하게 해 줘. 오늘 세토, 엄청 귀여워! 그 하얀 블라우스도 남색 피쉬테일 스커트도 귀여워서 세토한테 잘 어울린다고 생각해!"

"……고마워."

오늘은 귀엽다는 말을 들을 수 있게 평소보다 여러모로 애를 썼으니, 그 부분을 평가받을 수 있었던 건 매우 기뻤다.

"좀 더 말하고 싶지만, 너무 말하면 세토도 곤란할 테니까 일단 여기까지만 할게. 그래서 전철을 타고 있을 때부터 신경이 쓰였던 건데……."

"나, 어디가 이상해?"

"이상하다고 할까, 등에 메고 있는 그 가방 안 무거운가 싶어서."

마츠오카, 역시 눈치채고 있었던 건가. 나는 오늘 큼지막한 백팩을 등에 메고 온 상태였다. 안에는 당연히 그 프라모델이 들어 있었다. 어머니는 거슬린다며 끝까지 반대했지만, 나는 뜻을 굽히지 않고 여기까지 가져왔다.

"신경 쓰지 않아도 돼. 겉으로 보이는 것만큼 무겁지는 않아."

"그래? 그렇다면 다행이지만."

"그보다 목적지까지는 이제 얼마나 남았어?"

"한 10분쯤이려나. 오늘은 날도 더운데 걷게 해서 미안해."

"문제없어. 마츠오카는 괜찮아?"

"나는 동아리 연습 때문에 밖에 있는 건 익숙하니까."

마츠오카를 관찰해 본다. 다시 봐도 별로 햇볕에 그을린 것 같지는 않았다.

"저기, 세토? 그렇게 쳐다보면 심장이 못 버티는데……."

"마츠오카는 피부가 잘 타지 않는 편이야?"

"그게 신경이 쓰였구나. 나는 체질인 건지 그렇게까지 심하게 타지는 않는 편이야."

"그렇구나."

"세토는 조금 탔어?"

"합숙 때 살짝 탔을지도."

자외선 차단제를 발랐지만 그래도 합숙 첫날에는 오랫동안 밖에 있었기에, 조금이기는 하지만 피부가 타고 말았다.

"합숙이라……. 아이 씨한테 받은 세토의 사진, 전부 최고였어……."

그랬다. 아이 선배가 합숙 중에 찍은 내 사진을 마츠오카에게 보냈던 것이었다.

"여름옷에 수영복에 유카타……. 전부 우열을 가리기 힘들 만큼 근사했어……."

"……부끄러우니까 거기까지 해."

혼도에게 칭찬을 받고 새빨개지는 시미즈 씨의 심정을 조금 알게 된 것 같은 기분이 든다. 뭐랄까, 잘 표현할 수는 없지만 쑥스러웠다.

"아, 미안. 나도 모르게 그만."

그리고는 천문부 합숙 얘기로 둘이서 한창 이야기꽃을 피우고 있던 찰나 마츠오카가 걸음을 멈췄다.

"여기야."

마츠오카가 멈춰 선 곳은 일본풍 건물 앞이었다. 건물에 설치된 목제 간판에는 전통찻집 코바치라고 적혀 있었다.

"전통찻집?"

"뭐, 자세한 건 들어가고 나서 얘기해 줄게. 더우니까 안으로 들어가자."

안으로 들어가자 외관과 동일하게 내부 구조도 일본풍으로 되어 있었다.

"어서 오십시오."

"예약한 마츠오카입니다."

"마츠오카 님이시군요. 기다리고 있었습니다. 그럼 이쪽으로 오시죠."

직원을 따라가자 가게 안쪽에 있는 자리로 안내되었다. 마츠오카와 마주 보고 앉는다.

"주문할 메뉴를 정하시면 불러 주세요."

직원은 그렇게 말하며 인사를 하고는 떠나갔다.

"여기는 뭐 하는 곳이야? 찻집이야?"

"맞아, 일본식 요리를 전문으로 취급하는 찻집이라고 할 수 있어."

마츠오카는 그렇게 말하고는 나에게 메뉴판을 건네주었다.

"백문이 불여일견. 요리를 보면 어떤 가게인지 금방 알 수 있을 거야."

메뉴판을 넘긴다. 그곳에는 찹쌀떡, 와라비모찌*, 단팥죽 등 다양한 전통 과자가 실려 있었다. 이렇게 전통 과자 종류가 다양하다는 건 설마……. 메뉴판을 넘기자 그곳에는 내가 찾고 있던 전통 과자가 실려 있었다.

"마츠오카, 도라야키가 잔뜩 있어!"

마츠오카 쪽을 보자 마츠오카도 기쁜 듯이 웃고 있었다.

"마음에 든 것 같아서 다행이야. 여기는 전통 과자를 메인으로 한 찻집이야. 도라야키를 좋아하는 세토라면 기뻐해 줄 것 같았어."

"도라야키 종류가 이렇게 다양한 가게는 본 적이 없어. 마츠오카, 이런 가게로 데리고 와 줘서 고마워."

"세토에게 이렇게 감사를 받게 될 줄이야, 내가 전생에 얼마나 덕을 쌓은 건지……."

"하지만 이렇게 맛있어 보이는 도라야키가 많으면, 어느 게 좋을지 망설이게 돼……."

* 전분으로 만든 반투명한 떡에 콩가루 등을 뿌려 먹는 일본 과자.

"천천히 골라도 괜찮아. 오늘 일정은 시간에 여유가 있게 짜 왔으니까."

그리하여 나는 고민에 고민을 거듭해 도라야키 3종 세트를 주문하기로 결정했던 것이었다.

주문한 뒤 5분쯤 기다리자 마츠오카가 시킨 우지 말차와 함께 도라야키 세트가 왔다. 고민 끝에 먼저 세 종류 중에서 속에 단팥이 들어간 도라야키부터 먹기로 했다.

"……맛있어."

부드럽고 조밀한 반죽, 고급스럽게 단맛이 도는 팥소, 어느 걸 집어도 내가 먹어 본 도라야키 중에서 톱클래스라고 해도 좋을 정도였다.

"세토가 행복해 보여서 다행이야."

"그렇게 보였어?"

나는 표정근이 딱딱한 건지 다른 사람에게 무슨 생각을 하는지 모르겠다는 말을 자주 듣는다.

"응, 표정은 평소와 다르지 않지만 눈이 반짝거리고 있어."

"……그렇구나."

"세토는 정말로 도라야키를 좋아하는구나."

"응, 도라야키는 옛날부터 좋아했어."

"그러고 보니 여태껏 물어본 적이 없었는데, 세토가 도라야키를 좋아하는 건 혹시 이유가 있어?"

“……있어.”

“이유를 물어봐도 돼?”

확실히 내가 도라야키를 좋아하는 이유는 남들에게 얘기한 적이 별로 없었던 것 같다.

“이유는 단순해. 도라야키는 추억의 음식이니까. 어렸을 때, 부모님은 일 때문에 언제나 바빠서 대신 할머니가 나를 돌봐 줬어. 부모님이 없어서 내가 외로워할 때면 할머니가 늘 꺼내 줬던 게 도라야키였어.”

지금도 할머니는 내가 집에 있을 때 같이 도라야키를 먹자고 말해 준다.

“할머니와 그런 추억이 있었구나…….”

“그리고 지금은 천문부 사람들도 도라야키를 나눠주니까, 그 추억도 있어.”

“그렇구나, 도라야키는 현재진행형으로 세토의 하루하루의 추억 그 자체인 거네.”

“그럴지도 모르겠어. 이 도라야키도 마츠오카와 먹었다는 즐거운 추억이 되겠지.”

그러자 나를 보던 마츠오카가 어째서인지 고개를 돌렸다.

“……세토, 그 표정으로 그런 발언은 반칙이라고.”

지금처럼 거울을 보고 싶다고 생각한 적은 없을지도 모른다.

“어떤 표정이었어?”

“……뭐랄까 평소보다 아주 살짝 부드러운 표정이었어.”

“왜 고개를 돌렸어?”

“불의의 기습을 당하는 바람에 참을 수가 없어서.”

“알았어, 다음부터는 조심할게.”

다시 도라야키로 시선을 돌린다. 그 뒤 나와 마츠오카는 대화를 나누며 1시간 정도 전통찻집에 머물렀다.

“오늘은 어땠어, 세토?”

오늘 하루 동안 있었던 일들을 되돌아본다. 전통찻집에서 도라야키를 음미하고, 새로 생겼다는 서점에서 책을 찾고, 재상영 중이던 애니메이션 영화 ‘21그램 차이’를 영화관에서 감상했다.

“도라야키는 맛있었고, 서점은 즐거웠고, 영화는 감동했어.”

“그렇다면 다행이네.”

마츠오카가 안도한 듯한 미소를 지어 보였다.

“그런데 한 가지 마음에 걸리는 게 있어.”

“뭔데?”

“마츠오카는 오늘 즐거웠어?”

나는 좋아하는 도라야키를 먹고 좋아하는 책을 찾고 좋아하는 영화를 볼 수 있었다. 하지만 마츠오카의 입장에서 생각해 보면 전부 지루했을 수도 있지 않았을까.

“당연히 즐거웠지.”

“그런가?”

“세토가 즐거워하는 모습을 봤는데 즐겁지 않을 리가 없잖아.”

"······대체 어떤 연관이 있는지 잘 모르겠지만 즐거웠다니 다행이야."

"걱정해 줘서 고마워."

마츠오카가 미소 지었다. 그 순간, 나는 간신히 오늘의 가장 큰 목적을 떠올렸다.

"앗."

"왜 그래?"

"별것 아냐, 아니, 별게 맞긴 한데."

"수수께끼가 점점 미궁으로 빠지는데······."

"오늘의 진짜 목적을 달성하겠어."

"엥, 그게 뭐야?"

그 표정으로 보아 마츠오카는 무슨 일인지 전혀 예상하지 못하고 있는 듯했다. 나는 백팩을 내려놓고 안에서 봉투에 담긴 예의 물건을 꺼냈다.

"이거, 합숙 때 사 온 선물."

어리둥절해하는 마츠오카에게 건넨다.

"이건······."

"마츠오카가 전에 갖고 싶다고 말했던 프라모델. 사격으로 땄어."

어떻게 반응할지 신경이 쓰여 마츠오카를 바라보자, 마츠오카는 여태껏 본 적이 없는 얼굴을 하고 있었다.

"갖고 싶은 거랑 달랐어?"

"아니, 내가 제일 갖고 싶었던 거야."

"그런데 왜 그런 표정을 짓고 있어?"

"하지만 오늘 세토는 계속 즐거워해 줬는데, 심지어 내가 제일 갖고 싶었던 프라모델까지 깜짝 선물을 해 줬잖아? 나는 세토한테 보답할 것도 없다고……."

마츠오카는 어째서인지 나에게 뭔가 보답을 할 필요가 있다고 생각하는 모양이다.

"보답은 필요 없어. 마츠오카가 기뻐해 주면 나도 기뻐."

"세토……. 내가 뭔가 해 줬으면 하는 일 같은 건 없어?"

"있어."

"말해 줘!"

"나중에 또 시간이 생기면 오늘처럼 같이 놀아 줬으면 좋겠어. 그래서 다음번에 같이 놀 때는 마츠오카가 좋아하는 것에 대해 가르쳐 줬으면 좋겠어."

마츠오카는 순간 얼빠진 표정을 지었다가 웃었다.

"알았어, 또 같이 둘이서 놀자. 다음번엔 노래방이나 게임센터 같은 곳도 가자."

"기대하고 있을게."

해 줬으면 하는 일 따윈 아무것도 없다고 말할 생각이었다. 하지만 입에서는 또 같이 놀고 싶다는 목소리가 나오고 말았다. 전보다 떼쟁이가 된 것 같다. 설마 마츠오카가 나를 변화시킨 걸까. 그건 역시 책임 전가려나. 그런 생각을 하면서 나는 마츠오카와 함께 집으로 돌아갔던 것이었다.

"……그렇게 돼서 저와 요스케는 마침내 연인이 될 수 있었답니다!"

여름방학 합숙 뒤로 며칠이 지난 오후, 나는 카페 에이토에서 신세를 졌던 카호 씨에게 합숙에서 있었던 일을 털어놓고 있었다.

"이래저래 하고 싶은 말은 많지만, 우선 축하해, 아이."

"감사해요! 카호 씨가 등을 밀어 주신 덕분이에요."

"아냐, 아이가 열심히 노력했기 때문인걸. 뭐, 이번 합숙에서 가장 애를 쓴 건 요스케 같은 기분이 들지만 말이지."

"……그렇죠. 요스케가 저한테 고백해 준 덕에 연인이 될 수 있었으니까요."

요스케라서 고백까지 가는 동안 많은 고민을 했다고 생각한다. 그런 과정들을 거쳐 자신의 마음을 똑바로 전해 준 것이 지금도 정말로 기뻤다.

"솔직히 합숙 중에 고백을 할 줄은 생각도 못 해서 아이 얘기를 듣고 깜짝 놀랐어. 요스케도 내가 모르는 곳에서 성장한 것 같아서 기쁠 따름이야."

카호 씨가 즐거운 듯이 미소 지었다. 요스케에게 이 말을 전하면 떨떠름한 표정을 지을 것 같다. 케이만큼은 아니지만 요스케도 카호 씨에게는 약간 불편함을 느끼고 있었다.

"요스케도 아직 한창 성장기니까요!"

"듬직한걸. 역시 천문부 남자야."

"천문부 남자들은 하나같이 훌륭하죠! 천문부 여자들도 다들 미소녀지만!"

"그러게. 큐트한 아이에 쿨한 미오쨩에 프리티한 케이. 방향성은 달라도 다들 아름답게 피어 있지."

"저기…… 민망하니까 네 입으로 그런 소리 하지 말라고 말해 주실 순 없을까요?"

"어째서? 천문부 여자애들이 아이를 포함해서 다들 귀여운 건 사실이잖아?"

카호 씨는 의아하다는 얼굴을 하고 있었다. 이런 말을 당연하다는 듯이 해서 고등학교에 재학 중일 때부터 여자들 사이에서 인기가 끊이지 않았던 것이리라.

"케이나 요스케였으면 자기 입으로 그런 소리 하지 말라고 말해 줬을 텐데……."

"그 두 사람도 속으로는 분명 아이를 귀엽다고 생각하고 있을걸."

"카호 씨, 저를 놀리면서 즐기시는 거 아니에요?"

"그렇지 않아. 아이는 오늘도 다양한 표정을 보여 준다고 생각하긴 했지만."

"역시 즐기고 있는 것 같은데요……."

몇 년이 지나도 카호 씨에게는 대적할 엄두가 나지 않는다.

"아이랑 같이 있어서 즐거운 건 사실이지만 말이야. 하던 얘기로 돌아갈까. 합숙 중에 아이가 체험했던 얘기는 다 들었는데 케이짱은 어땠어?"

"케이요?"

"응, 케이짱과도 합숙 전에 얘기를 나눴으니까 신경이 쓰여서."

"그렇군요……."

기억 속에서 합숙 중 케이의 행동을 되새겨본다. 칭찬을 받고 수줍어하던 케이, 도발에 화를 내던 케이, 천문부 사람들과 합숙을 즐기는 케이. 역시 케이는 언제 어디서나 사랑스럽다……. 핫, 카호 씨가 듣고 싶은 건 그런 게 아닐 텐데.

"다시 한번 묻겠는데 아이가 봤을 때 합숙 중의 케이짱은 어땠어?"

"글쎄요, 평소보다 먼저 다이키에게 대시하는 일이 많았던 것 같긴 해요."

"그건 좋은 경향이네."

"그쵸! 그리고 집으로 돌아올 때도 앞으로는 좀 더 적극적으로 행동할 거라고 말했어요!"

"케이짱이 먼저 행동하게 된다면, 혼도와의 관계도 점점 진전될 것 같네."

나도 그렇게 생각한다. 케이는 조금 수동적일 뿐 노력가니까.

"케이도 성장기인가 봐요! 물론 저도 이전보다 더 많이 케이를 도와줄 거고요!"

카호 씨의 표정이 조금 심각해진 것 같은 기분이 든다.

“왜 그러시죠?”

“내가 굳이 말하지 않아도 알고 있겠지만, 케이짱의 응원이 아무리 중요해도 자기 일을 소홀히 해선 안 돼.”

“그게 무슨 뜻인가요?”

“아이는 합숙을 거쳐 요스케와 연인이 됐어. 나는 이게 끝이 아니라 새로운 시작이라고 생각해. 이전과는 조금 달라진 일상에 익숙해질 때까지는 아이도 본인의 일을 평소보다 더 소중히 여겨 줬으면 해.”

“그렇군요?”

아무래도 카호 씨는 내가 요스케와 연인이 되면서 일상생활에 다소 변화가 생겼다고 생각하는 듯했다.

“뭐, 아이라면 그 사소하게 달라진 일상도 즐길 수 있을 거라고 생각하지만 말이야. 질문에 답해 줘서 고마워. 다음은 무슨 얘기를 할까?”

나와 카호 씨의 걸즈 토크는 결국 저녁까지 이어졌다.

집으로 돌아와 스마트폰을 확인하자 요스케의 착신 이력이 눈에 들어왔다. 어쩐 일인가 싶어 메시지를 보냈다. 그러자 1분도 지나지 않아 지금 시간이 있냐는 메시지가 와서 있다고 답장을 보냈다. 그로부터 몇 분 뒤, 요스케가 전화를 걸어왔다.

“여보세요, 지금, 시간 괜찮아, 아이?”

“괜찮아.”

"그럼 다행이네. 그래서 바로 용건으로 들어가자면 이번 주 일요일에 일정 비어 있어?"

일정표를 확인한다. 일요일 칸에는 아무런 일정도 적혀 있지 않았다.

"지금은 비어 있어."

"그, 그렇구나."

목소리로 미루어 짐작했을 때 요스케는 조금 안도한 기색이었다.

"일요일에 무슨 일이라도 있어?"

"그게…… 네가 괜찮으면 말인데, 일요일에 나랑 같이 놀이공원이라도 가지 않을래?"

요스케의 그 말에 내 안에서 충격이 퍼졌다.

"그건 첫 데이트 신청~!"

"너, 너어, 속으로 생각하는 걸 입으로 다 말하는 게 어디 있어!"

"그치만 요스케가 먼저 데이트를 신청해 줄 줄은 상상도 못 했으니까 기뻐서!"

"……그래서 어떡할 거야. 갈 거야, 말 거야?"

요스케가 먼저 데이트를 신청해 준 것이다. 설령 행선지가 어디라고 해도 반드시 가는 게 당연하다.

"알았어, 그럼 나중에 대략적인 일요일의 스케줄을 보낼 테니까 확인해 줘."

"오케이! 그나저나 가슴이 두근거린다!"

"놀이공원이라면 친구하고도 몇 번이나 가 본 적이 있을 텐데?"

"그야 친구랑 가 본 적은 있긴 하지만, 연인이랑 가는 건 처음이니까……."

혈류가 얼굴로 모이는 것 같다. 요스케가 전화기 너머가 아니라 이곳에 있었다면, 가볍게 춥을 먹였겠지.

"그, 그러니까 일요일에는 나를 제대로 에스코트해 줘!"

"……노력해 볼게."

"부탁드릴게요, 요스케 씨! 그럼 또 보자!"

"응, 또……."

말이 끝나기도 전에 전화를 끊었다. 괜찮으려나, 내 동요가 요스케에게 전달된 건 아니겠지. 거울을 확인한다. 거울 속의 나는 실실거리며 칠칠치 못한 얼굴을 하고 있었다.

"큰일이네, 이것 참……."

뺨에 양손을 댔다. 내가 전에도 이렇게 감정이 얼굴에 잘 드러났던가? 요스케와 다음에 만날 때까지 좀 더 표정근을 단련해야 할지도 모르겠다. 뭐, 학생회 활동이 있으니까 요스케와는 내일도 만나게 되겠지만.

다음 날, 나는 학생회 서무를 맡은 후배와 함께 여름방학 뒤에 열릴 문화제에 대비해 교내에 있는 비품을 확인했다. 작업은 문제없이 진행되어, 적당한 시점에 작업을 멈춘 나와 후배는 한 차례 휴식을 취하기로 했다.

"아이 선배, 잠깐 괜찮을까요?"

“무슨 일인데?”

“요즘, 연인이 된 것 말고 회장님과 무슨 일이라도 있으셨어요?”

“엥, 왜 그렇게 생각했어?”

후배에게는 나와 요스케가 연인이 됐다는 소식을 전했지만, 일요일에 데이트를 한다는 얘기는 아직 하지 않았다.

“왜냐하면 오늘 아이 선배는 평소랑 전혀 달랐거든요.”

“……참고로 어떤 차이가 있었나요?”

“오늘 아이 선배는 뭐랄까, 회장님을 지나치게 의식하는 느낌이 들었다고 할까…….”

“……진짜야?”

“그럼 진짜죠.”

전혀 의식하지 못했다. 학생회의 다른 아이들도 그렇게 생각했을까.

“그래서 회장님과 무슨 일이 있었는데요?”

“실은 말이지…… 이번 주 일요일에 요스케와 같이 놀이공원에 가게 됐어…….”

“그 말은 회장님과 데이트를 하러 간다는 뜻인가요?!”

“그렇게 되겠지…….”

“축하 드려요! 데이트 신청은 누가 먼저 한 거예요?”

“……요스케가 해 줬어.”

“오오! 회장님, 제법이시네요!”

후배가 이렇게까지 흥분하는 일은 드물었다. 요스케가 보면 깜짝 놀랄 것 같다.

"회장님과 데이트해 본 소감을 나중에 저한테도 말해 주세요!"

"알았어!"

그나저나 오늘의 나는 그렇게 평소와 달랐나. 요스케와 데이트를 하게 된 게 기뻐서 살짝 들떴는지도 모르겠다. 마음을 조금 다잡을 필요가 있을 듯했다.

하지만 그런 나의 결의도 무색하게 만나는 친구나 지인들마다 요스케와 무슨 일이라도 있었냐고 물어보는 날들이 이어졌고, 결국 그 상태로 일요일을 맞이했던 것이었다.

"케이~, 열어 줘~."

케이의 방문을 계속해서 노크한다. 약 10초 뒤 천천히 문이 열렸다.

"뭐야, 오늘은 요스케랑 외출하는 거 아니었어?"

"그것 말인데, 케이의 힘을 좀 빌리고 싶어서……."

"돈이라면 못 빌려줘."

"나랑 케이 사이에 돈이 오갔던 적은 거의 없었던 것 같은데~? 아무튼 됐으니까 내 방으로 와 줘!"

"잠, 이것 놔!"

저항하는 케이의 팔을 양손으로 붙들고 나는 내 방으로 향했다.

"너…… 이 방은, 도둑이라도 든 거야?"

케이가 그렇게 생각하는 것도 무리는 아니다. 현재 내 방은 침대

위와 바닥에 옷들이 마구 흩어져 있었다.

"오늘 입고 갈 옷을 고르다 보니 이렇게 돼 버렸지 뭐야. 헤헷!"

"그래봤자 안 귀엽거든. 요스케라면 딱히 네가 뭘 입든 괜찮다고 말하겠지."

"그게 문제야! 나는 요스케한테서 괜찮네 말고 다른 칭찬을 듣고 싶다고! 그러니까 케이가 내 옷을 고르는 걸 도와줬으면 좋겠어!"

요스케 전문가인 나의 경험상 요스케는 내 옷을 보면 99퍼센트 이상의 확률로 괜찮네 라고 반응한다. 그야말로 이 세상의 이치라고 말해도 되는 수준이다. 하지만 나는 그 이치를 뒤엎고 싶은 것이다. 구체적으로 말하자면 합숙에서 유카타를 입었을 때처럼 요스케가 다채로운 언어를 사용해서 칭찬해 줬으면 좋겠다.

"어떤 소감을 말할지는 요스케 마음이라고. 네가 어떤 옷을 입든 달라지는 건 없을걸."

"그렇지 않아! 요스케의 하트에 꽂힐 만한 옷을 입으면 소감도 분명 달라질 거라고!"

케이를 똑바로 쳐다본다. 몇 초 뒤, 케이는 내 얼굴을 보며 한숨을 내쉬었다.

"……어쩔 수 없으니까 옷 고르는 걸 도와주지. 하지만 요스케한 테 괜찮네 라는 말밖에 못 들어도 날 원망하지 마."

"케이!"

그 다정함에 가슴이 뜨거워져서, 케이를 힘껏 껴안았다.

"더우니까 끌어안지 마! 그럴 시간도 없잖아, 얼른 옷을 고르자고!"

그리하여 약 1시간 동안, 나와 케이는 둘이서 오늘 입고 갈 옷을 골랐던 것이었다.

"요스케, 이제 슬슬 오려나?"

"그 녀석은 시간 약속에는 깐깐하니까 조금만 더 기다리면 오겠지."

오늘은 요스케가 우리 집으로 데리러 오기로 해서, 나는 현관에서 케이와 함께 요스케를 기다리고 있었다. 5분쯤 기다리자 초인종이 울려서 서둘러 문을 열었다.

"요스케!"

"아이, 데리러 왔어."

"……어?"

그 순간 요스케의 눈에는 내 움직임이 완전히 멈춘 것처럼 보였으리라.

"왜 그래, 아이?"

요스케가 의아해하는 표정을 짓고 있다. 먼저 이 머리, 평소와는 달리 세팅이 되어 있다. 게다가 어제까지보다 몇 밀리 짧았다. 분명 미용실에서 다듬은 거겠지. 다음으로 얼굴, 평소에 끼고 다니던 안경을 착용하지 않고 있다. 아마도 렌즈를 낀 것이리라. 마지막으로 옷, 평소에는 나와 함께 고른 옷을 입고 있는데 오늘은 내가 본 적 없는 옷을 입고 있다. 아마도 직접 골라서 샀겠지. 종합적으로 말하면 그곳에는 내가 모르는 요스케가 있었다.

"너 이 자식, 너무 멋지잖아! 가짜 요스케지!"

"하?"

나는 가짜 요스케의 뺨을 잡아당겼다.

"뭐야······, 아파! 아프다고!"

하지만 아무리 잡아당겨도 그 사람은 그저 아파할 뿐이었다.

"······설마 진짜로 요스케야?"

"갑자기 남의 볼을 힘껏 잡아당겨 놓고는, 처음으로 하는 말이 그 거야?!"

"그치만 요스케라기엔 너무 멋지길래 수상해서."

"첫 데이트라서 힘을 준 거야!"

그 말을 듣자 가슴이 술렁거렸다. 요스케는 나와의 데이트를 위해서 이렇게 노력해 줬구나.

"······뺨을 잡아당겨서 미안."

"나 말고 다른 사람한테는 절대로 그러지 마."

"그건 나 말고 다른 사람은 보지도 말라는 뜻!"

"너, 진짜로 반성하고 있는 거 맞아?"

내 남친이지만 멋진 태클이다. 나도 마음이 평소의 상태로 돌아온 듯한 기분이 들었다.

"너희들은 왜 집 앞에서 콩트를 하고 있어."

뒤를 돌아보자 그곳에는 케이가 있었다. 나와 요스케가 집 앞에서 얘기하는 모습을 보고 현관에서 나온 모양이다.

"케이도 있었어?"

"뭐, 그렇지. 그보다 요스케 너, 아이의 남친으로서 할 일이 있을 텐데."

"할 일?"

"아이가 입고 있는 옷의 소감을 말하라고. 그 옷을 고르느라 나까지 아침부터 억지로 붙잡혀 있었는데."

"케이~."

이 아가씨가 웬일로 현관 밖으로 나왔나 했더니 갑자기 무슨 소리를 하는 거야.

온몸으로 요스케의 시선을 느꼈다. 뭐랄까, 조금, 아주 조금 부끄러운 것도 같다.

"아이, 상황이 이렇게 돼 버렸지만, 내 생각을 말해도 될까?"

"얼마든지!"

"먼저 그 오렌지색 상의 말인데, 딱 여름철이 떠오르는 색상이라서 너와도 잘 어울린다고 생각해. 다음으로 흰색 꽃무늬 레이스 스커트도 산뜻하고 어른스러워 보인다고 생각했어. 전체적으로는 아이답게 밝은 느낌이지만, 동시에 우아한 느낌도 있어서 솔직히 가슴이 두근거렸어."

잘 어울린다, 산뜻, 어른스러워 보인다, 밝다, 우아하다, 가슴이 두근거렸다. 예상치 못했던 정보량에 머리가 터질 것만 같다.

"으헤헤……."

힘내라, 내 표정근. 붕괴하기에는 아직 너무 이르다고.

"요스케, 너 제법인데. 괜찮네 말고도 말을 할 수 있었잖아."

"너희들이 자꾸 그런 식으로 말하니까, 나도 어떻게든 고쳐 보려고 한 거야!"

요스케는 그렇게 말하고는 내 손을 잡았다.

"이제 슬슬 가자, 아이."

"으, 응."

요스케가 먼저 내 손을 잡을 줄이야. 오늘의 요스케는 겉모습뿐만 아니라 속까지 어제까지와는 조금 달라진 듯했다.

"그럼 다녀올게, 케이."

"옷을 칭찬받아서 다행이네. 뭐, 다녀와."

현관문을 닫기 직전, 케이가 잠깐이지만 웃고 있었던 것 같은 기분이 들었다.

"갈까, 요스케."

"그래."

나와 요스케는 손을 잡고 역으로 걸어갔던 것이었다.

"꽤 북적거리네."

"예상을 넘어섰어."

놀이공원은 여름방학 기간에 일요일도 겹쳐서 그런지 몹시 혼잡했다.

"아이는 먼저 뭐부터 타고 싶어?"

"내가 결정해도 돼?"

"응, 딱히 없으면 내가 정하겠지만……."

"잠깐만 기다려, 고민해 볼게!"

관람차, 회전목마, 제트 코스터, 레이싱 카트, 관심이 가는 놀이기구는 많지만, 제일 처음으로 체험하고 싶은 놀이기구는…….

"일단은 이걸로 하자!"

가지고 있던 팸플릿의 일부분을 가리켰다.

"이걸로 시작인가……."

내가 가리킨 부분에는 작은 글자로 유령 저택이라고 적혀 있었다.

"줄을 선 사람들이 은근히 많네."

"여름이라서 인기가 많은가 봐!"

놀이기구를 정하고 몇 분 뒤, 나와 요스케는 유령 저택 앞에 와 있었다. 유령 저택 앞에는 줄이 형성돼 있었고, 줄 맨 끝의 스태프가 들고 있는 간판에는 현재 대기 시간이 30분이라고 적혀 있었다.

"30분을 기다릴 수 있겠어?"

"오늘은 어떤 놀이기구를 타려고 해도 그 정도는 북적일걸! 얼른 줄을 서자!"

"갈 테니까 잡아당기지 마!"

요스케의 팔을 일단 놓고 둘이 함께 줄의 맨 뒤쪽에 섰다.

"유령 저택 기대된다!"

"그러게……."

"어라, 요스케 씨, 어째 안색이 나쁜데요? 기분 탓인지 기운도 없어 보이고."

"기, 기분 탓이겠지."

"설마 요스케, 유령 저택이 무서워?"

"그럴 리가 없잖아. 실제로 체험하기 전에 말하기는 그렇지만, 퀄리티가 아무리 높아도 가짜라는 사실은 변하지 않아. 가짜라는 걸 알고 있으면 그렇게까지 과도하게 겁을 낼 필요도 없지."

요스케는 전에 없이 빠른 속도로 말을 쏟아내고 있었다.

"그렇게 스스로를 타이르는 거네."

"사실을 말하는 거야! 그러는 너는 어떤데."

"요스케와 함께라면 즐거울 거라고 생각해."

"그렇게 말하니까 나랑 함께하지 않으면 즐겁지 않다는 것처럼 들리는데."

"즐겁지 않은 건 아니지만, 좀 무서울지도."

나는 어렸을 때 혼자서 숲에 들어갔다가 미아가 될 뻔한 적이 있다. 그때는 그대로 해가 저무는 바람에 어둠 속에서 나무들이 바스락거리는 소리나 동물 울음소리에 벌벌 떨며 중간까지 혼자 숲속을 걸었다. 그 경험 때문인지 지금도 혼자서 어두운 곳에 있는 건 조금 꺼려졌다.

"어째서 나랑 함께 있으면 괜찮은 건데?"

"요스케라면 무슨 일이 있어도 내 옆에 있어 줄 테니까."

숲속을 헤매던 그때 나를 찾아낸 건 요스케였다. 요스케는 이제 걱정하지 말라고 말하며 나를 어두운 숲에서 밖으로 데리고 나와 주었다. 요스케가 나를 발견해 주지 않았다면 나는 지금보다 더 어두운 장소를 싫어하게 됐겠지.

"그렇게 됐으니까 만에 하나 진짜로 유령이 습격해 오더라도 목숨을 걸고 나를 지켜 줘야 해!"

"뭐가 그렇게 된 건지는 모르겠지만, 그런 상황에 빠지면 내가 너를 유령한테서 끝까지 지켜낼 수 있을 것 같지 않은데."

"헐! 요스케, 유령을 격퇴하는 방법 정도는 공부해 와야 하는 거 아냐?!"

"그런 내용은 대학시험 범위에는 없다고!"

그렇게 입장을 기다리는 동안, 나와 요스케는 언제나처럼 아무 영양가 없는 대화를 이어 나갔다.

"안이 제법 어둡네."

"……그러게."

30분쯤 기다렸을까, 마침내 차례가 돌아온 우리들은 유령 저택 안에 있었다. 유령 저택 안은 어두컴컴해서, 붉게 빛나는 형광등 불빛으로 간신히 주변만 알아볼 정도였다.

"딱 봐도 폐병원이라는 느낌이네."

"……그러게."

이 유령 저택은 괴현상이 자주 일어나는 밤의 폐병원이 테마인 듯 시설 내부에는 병원 특유의 약품 냄새가 재현돼 있었다.

"출구에 도착할 때까지 얼마나 걸리려나."

“……그러게.”

“요스케 씨? 아까부터 그러게 라는 말밖에 못 하고 계신데 괜찮으신가요?”

“……그러게.”

“큰일이다, 요스케가 벌써 고장 나 버렸어…….”

최근에는 요스케와 공포 영화를 본 적이 별로 없어서, 요스케가 이렇게까지 무서워할 줄은 상상도 못 했다.

“그렇게 무서우면 기권할까?”

이 유령 저택은 도중에 몇 군데인가 중도에 포기할 수 있는 지점이 있다. 조금만 더 걸어가면 기권할 수 있는 곳이 나올 터다.

“……아니, 괜찮아.”

“무리하지 않아도 되거든?”

“네가 즐거워하는 걸 나도 같이 즐기고 싶어. 무서운 건 사실이긴 하지만 좀 더 힘을 내 볼게.”

“요스케…….”

요스케는 이럴 때도 나와 즐기는 것을 최우선으로 생각하고 있다. 뭐랄까, 이미 다정함의 범주를 넘어선 듯한 느낌이다. 나도 뭔가 해 줄 수 있는 일은 없을까.

“앗, 좋은 생각이 떠올랐어!”

“네가 떠올리는 생각은 솔직히 어설픈 귀신보다 더 무섭다고.”

“너무하네! 잠깐 팔 좀 빌려줘!”

나는 요스케와 다소 강압적으로 팔짱을 꼈다.

"이러면 무섭지 않지?"

"그건 또 무슨 논리야?"

"나와 팔짱을 낀다. 평소보다 가까워진 나와의 거리에 가슴이 두근거린다. 무서움에 집중할 수 없다. 전혀 무섭지 않다. 증명 완료."

"생각했던 것보다 더 멍청한 증명이네."

"뭐라고! 나랑 팔짱을 꼈는데 가슴이 두근거리지 않는다는 거야?!"

"그야…… 두근거리지만……."

다행이다. 두근거리지 않는다는 말을 들었으면 쇼크로 쓰러질 참이었다.

"그러는 너는 어때? 가슴이 두근거리지 않아?"

"나?"

다시 현 상황을 머릿속으로 정리했다. 좋아하는 사람인 요스케와 팔짱을 낀 채 밀착하고 있다. 분명 냉방이 돌아가고 있을 텐데도 어찌 된 영문인지 몸이 더워지기 시작했다. 아니, 더워진 이유는 명백하다.

"……두근거릴지도."

"……그렇구나."

그렇게 나와 요스케는 중도에 포기하는 일 없이 유령 저택을 공략하는 데 성공했다. 어떤 귀신이 나왔는지는 솔직히 요스케를 지나치게 의식하느라 기억이 나지 않았다.

"제트 코스터 재밌었지!"

"그래도 오늘은 이제 그만 타고 싶지만 말이지."

저녁, 나와 요스케는 오늘의 세 번째 제트 코스터 탑승을 마치고 지상으로 귀환한 상태였다.

"레이싱 카트랑 커피 컵, 그리고 제트 코스터, 전부 다 재밌었어!"

"레이싱 카트랑 커피 컵을 타고 너한테 핸들을 쥐게 하는 건 절대 하지 말아야겠다고 생각했지만 말이지."

"너무해!"

레이싱 카트에서도 커피 컵에서도 멋지게 핸들을 조종했다고 생각하는데.

"그래서 어떡할래? 다음은 뭘 탈 거야? 아니면 슬슬 집으로 돌아갈까?"

내가 그렇게 묻자 요스케는 조금 진지한 표정을 지었다.

"타고 싶은 놀이기구가 하나 있는데, 괜찮을까?"

"좋아! 뭘 타고 싶어?"

"저걸 타고 싶어."

요스케가 가리킨 것은 놀이공원 내에서도 인기가 많은 놀이기구, 관람차였다.

"요스케는 옛날부터 높은 곳을 좋아했어?"

"그런 건 아니지만, 이번엔 저기가 마침 적당하니까."

"흐음? 잘 모르겠지만 뭐, 갈까!"

뭘까, 뭔가를 잊어버린 듯한 기분이 든다. 관람차를 타려고 줄을 서서 기다리는 동안, 나는 요스케와 애기를 나누면서도 계속 기억을 더듬고 있었다. 그러다 관람차에 타기 직전에 겨우 그 기억을 되살려냈다.

『장소는 놀이공원의 관람차. 연인이 되고 난 뒤 첫 데이트의 마지막에 둘이 같이 타고는 곤돌라가 제일 위로 올라갔을 때…… 제 쪽에서 아이에게 키스했어요.』

그랬다, 그것은 합숙 때 참가했던 베스트 커플 콘테스트에서 있었던 일이었다. 요스케가 첫 키스에 대한 질문을 받았을 때 그렇게 대답했던 것이다.

"왜 그래? 괜찮아, 아이?"

"네헤, 괘, 괜찮아요!"

"아무리 봐도 괜찮지 않은 것 같은데. 다음이 우리 차례인데 탈 수 있겠어?"

"당연히 탈 수 있죠!"

"그럼 됐어, 마음의 준비를 해 둬."

마음의 준비~. 그건 첫 키스를 나눌 준비를 하라는 거겠지~. 진정하자, 시미즈 아이. 아직 요스케가 관람차 안에서 키스하려 한다고 정해진 것도 아니니까. 그때 요스케가 했던 발언은 거짓이니까. 하지만 장소와 시추에이션이 이렇게까지 닮았으면 우연이라고는 볼 수 없다고 할까…….

"다음 손님, 안으로 들어가시죠."

“가자, 아이.”

“으, 응.”

직원의 유도를 받아 요스케와 함께 곤돌라에 탑승한다. 곤돌라의 문이 밖에서 닫혔다. 그렇게 곤돌라는 다시 이곳으로 돌아올 때까지 밀실이 되었던 것이었다.

“아이, 아까부터 침착을 잃은 것 같은데 무슨 문제라도 생겼어?”

“치, 침착한데요!”

다우트, 침착할 리가 없다. 언젠가는 요스케와 키스를 하고 싶다. 그렇게 생각은 하고 있었다. 하지만 갑작스럽게 그 기회가 찾아오는 바람에 머릿속은 터지기 일보 직전이었다.

“……하긴, 너는 감이 예리하니까 알아차렸겠네.”

요스케는 뭔가를 짐작한 눈치였다.

“아이, 잠깐만이라도 괜찮으니까 눈을 감아 주지 않을래?”

“벌써 시작인가요~?”

“시작? 뭐, 그렇겠지.”

“……요스케, 부탁이 있는데.”

“뭔데?”

“살살 부탁해…….”

천천히 눈을 감는다. 처음이라서 서로의 치아가 부딪쳐 고통받는 상황은 가급적 피하고 싶다.

“알겠어? 조금 간지러울 거야.”

간지러워? 그 발언대로 요스케의 손이 목뒤에 닿아 조금 간지러웠다.

"눈을 떠 줘."

어라, 입술에 뭔가가 닿는 느낌은 들지 않았는데. 눈을 뜬다.

"이건…….."

확인하자 조금 전에는 없었던 심플한 디자인의 목걸이가 내 목에 걸려 있었다.

"첫 데이트 기념이야. 센스에 대해서는 되도록 언급하지 말아 줘. 네가 눈치가 빨라서 들키지 않으려고 조심하긴 했는데."

"엥, 그럼 키스는?"

"키스? 무슨 소리야?"

아무래도 내 착각이었던 모양이다. 그나저나 요스케가 이런 깜짝 이벤트를 준비하고 있었구나.

"고마워, 요스케! 정말 기뻐!"

맞은편에 앉아 있는 요스케를 힘껏 껴안는다.

"너, 위험하니까 자리로 돌아가! 흔들리면 어쩌려고!"

"부끄러워하기는~, 귀여워~."

이렇게 나와 요스케의 첫 데이트는 최고의 형태로 막을 내렸던 것이었다.

"어이 아이, 안에 있어?"

"있지~."

밤, 요스케에게 선물 받은 목걸이를 바라보고 있는데 사랑하는 동생의 목소리가 들려와서 문을 열었다.

"어쩐 일이야?"

"일단, 그 뒤에 어땠는지 물어보러 왔어."

"최고의 하루였어!"

"그렇구나, 다행이네."

대답을 듣고 만족했는지 케이가 문을 닫으려고 해서 억지로 비틀어 열었다.

"좀 더 꼬치꼬치 캐물어 줘!"

"필요 없어! 이미 충분하다고!"

"다이키랑 데이트할 때 도움이 될지도 모르잖아!"

"호, 혼도하고는 상관없잖아!"

그렇게 나는 케이를 내 방으로 끌어들여서, 오늘 요스케와 했던 데이트를 돌이켜보았던 것이었다.

이번에 『옆자리의 양아치 시미즈 씨가 머리를 까맣게 염색해왔다』3권을 구매해 주셔서 감사합니다. 아마도 오랜만이겠네요. 작가인 테이카입니다. 좋아하는 한자는 '점(漸)'입니다. 다시 독자 여러분을 이렇게 만나 뵙게 되어 안도하고 있습니다.

먼저 갑작스러우시겠지만 개인적으로 기쁜 소식을 하나. 놀랍게도 '양아치 시미즈 씨'가 만화로 만들어지게 되었습니다! 코미컬라이즈를 담당해 주신 분은 사나다 와카 선생님으로, '월간 소년 에이스'에서 연재하게 되었습니다. 원작을 읽고 계신 분도 그렇지 않은 분도 읽어 주신다면 기쁘겠습니다. 코미컬라이즈는 목표라고 할까, 개인적인 꿈이었기에, 실현되어 즐거운 마음뿐입니다. 코미컬라이즈가 실현될 수 있었던 건 독자 여러분께서 '양아치 시미즈 씨'에 많은 응원을 보내 주셨기 때문이라고 생각합니다. 정말 감사합니다. 만화와 함께 앞으로도 '양아치 시미즈 씨'를 잘 부탁드립니다.

중대 발표도 끝났으니 한숨 돌리겠습니다. 다음으로는 '양아치 시미즈 씨' 3권 집필을 마무리한 소회를 적어 보려고 합니다. 제가 3권 집필을 끝내고 든 생각은 멀리까지 왔구나, 라는 것이었습니다. 저는 원래 단편소설을 전문으로 쓰고 있었기에, 한 이야기와 이렇게까지 오래 대면했던 적이 없었습니다. 그래서 '양아치 시미즈 씨'는 제가 처음으로 1년 이상 집필을 이어온 작품이 되었습니다. 저 혼자서는 여기까지 쓸 수 없었을 거라고 생각합니다. 주변 분들과 담당 편집자님의 지원, 그리고 여러분의 응원이 있었기에 '양아치 시미즈 씨'를 3권까지 계속 쓸 수 있었습니다. 두 번째이긴 하지만, 감사합니다.

그럼, 다음은 무슨 얘기를 해 볼까요. '양아치 시미즈 씨' 3권의 내용에 대해 풀어 보고 싶기도 합니다만, 저처럼 후기부터 읽는 사람도 있을지 모르니 여기에서는 되도록 언급을 자제하도록 하겠습니다.

얘기할 것……. 독자 여러분은 후기에서 뭘 알고 싶으신가요? 작품에 대해서인지, 저 개인에 대해서인지, 아니면 전혀 다른 것에 대해서인지. 조금 신경이 쓰일지도 모르겠습니다.

저 개인적으로는 그 밖에도 독자 여러분께서 '양아치 시미즈 씨'의 등장인물 중에서 누가 좋은지, 어떤 부분이 마음에 드는지, 어떤 장면이 좋은지 신경이 쓰여서 기회가 된다면 어디선가 들어 보고 싶네요.

신경이 쓰이는 것들에 대해서는 여기까지만 얘기하겠습니다. 얘기할 내용도 떨어지기 시작해서, 지금부터는 아주 살짝 꿈에 대해 얘기해 보려고 합니다. 제 꿈 중 하나는 자신이 쓴 작품이 책이 되는 것이었습니다. 그 꿈이 이루어진 지금, 다음으로 이루고 싶은 꿈은 '양아치 시미즈 씨'에 한 명이라도 많은 분께서 재미를 느끼도록 하는 것입니다. 이루어졌는지 아닌지 알기 힘든 꿈입니다만, 언젠가 이루어졌다고 생각할 수 있는 날이 오면 좋겠다고 생각합니다. 그러기 위해서 저도 할 수 있는 일에 최선을 다하고 싶습니다.

　마지막으로 감사 인사를 드리겠습니다. 3권 집필 중, 때에 상관없이 저를 지원해 주셨던 담당 편집자님, 1권과 2권에 이어 표지와 소설 내 삽화뿐 아니라 양면 커버와 유상 특전 일러스트에서도 등장인물을 매력적으로 멋지게 그려 주셨던 하무 님, 마지막으로 거듭 인사드리긴 했지만 여기까지 읽어 주신 독자 여러분께, 정말로 감사했습니다. 그럼, 인연이 닿으면 또 만나 뵙겠습니다.

열자리의 양아치 시미즈 씨가 머리를 까맣게 염색해 왔다  3

초판 1쇄 인쇄 2025년 5월 10일
초판 1쇄 발행 2025년 5월 15일

저자 : 테이카
번역 : 조기

펴낸이 : 이동섭
편집 : 이민규
디자인 : 조세연
영업·마케팅 : 조정훈, 김려홍, 곽혜연
기획편집 : 송정환, 박소진
e-BOOK : 홍인표, 최정수, 김은혜, 정희철, 김유빈
라이츠 : 서찬웅, 서유림
관리 : 이윤미

㈜에이케이커뮤니케이션즈
등록 1996년 7월 9일(제302-1996-00026호)
주소 : 08513 서울특별시 금천구 디지털로 178, B동 1805호
TEL : 02-702-7963~5 FAX : 0303-3440-2024
http://www.amusementkorea.co.kr

ISBN 979-11-274-8979-3 04830
ISBN 979-11-274-8148-3 04380(세트)

TONARI NO SEKI NO YANKI SHIMIZUSAN GA KAMI O KUROKU SOMETEKITA Vol.3
©Teika, Hamu 2024
First published in Japan in 2023 by KADOKAWA CORPORATION, Tokyo.
Korean translation rights arranged with KADOKAWA CORPORATION, Tokyo.

*잘못된 책은 구입한 곳에서 무료로 바꿔드립니다.